三國志卷十一

魏書十一

袁張凉國田王邴管傳第十一

袁渙字曜卿，陳郡扶樂人也。父滂，爲漢司徒。當時諸公子多越法度，而渙清静，舉動必以禮。郡命爲功曹，郡中奸吏皆自引去。後辟公府，舉高第，遷侍御史。除譙令，不就。劉備之爲豫州，舉渙茂才。後避地江、淮間，爲袁術所命。術每有所咨訪，渙常正議，術不能抗，然敬之不敢不禮也。頃之，吕布擊術於阜陵，渙往從之，遂復爲布所拘留。布初與劉備和親，後離隙。布欲使渙作書詈辱備，渙不可，再三强之，不許。布大怒，以兵脅渙曰：『爲之則生，不爲則死。』渙顔色不變，笑而應之曰：『渙聞唯德可以辱人，不聞以罵。使彼固君子邪，且不耻將軍之言，彼誠小人邪，將復將軍之意，則辱在此不在於彼。且渙他日之事劉將軍，猶今日之事將軍也，如一旦去此，復罵將軍，可乎？』布慚而止。

布誅，渙得歸太祖。渙言曰：『夫兵者，凶器也，不得已而用之。鼓之以道德，征之以仁義，兼撫其民而除其害。夫然，故可與之死而可與之生。自大亂以來十數年矣，民之欲安，甚於倒懸，然而暴亂未息者，何也？意者政失其道歟！渙聞明君善于救世，故世亂則齊之以義，時僞則鎮之以樸；世異事變，治國不同，不可不察也。夫制度損益，此古今之不必同者也。若夫兼愛天下而反之於正，雖以武平亂而濟之以德，誠百王不易之道也。公明哲超世，古之所以得其民者，公既勤之矣，

今之所以失其民者，公既戒之矣，海内賴公，得免於危亡之禍，然而民未知義，其惟公所以訓之，則天下幸甚！』太祖深納焉。拜爲沛南部都尉。

是時新募民開屯田，民不樂，多逃亡。渙白太祖曰：『夫民安土重遷，不可卒變，易以順行，難以逆動，宜順其意，樂之者乃取，不欲者勿强。』太祖從之，百姓大悦。遷爲梁相。渙每敕諸縣：『務存鰥寡高年，表異孝子貞婦。常談曰「世治則禮詳，世亂則禮簡」，全在斟酌之間耳。方今雖擾攘，難以禮化，然在吾所以爲之。』爲政崇教訓，恕思而後行，外温柔而内能斷。以病去官，百姓思之。後徵爲諫議大夫、丞相軍祭酒。前後得賜甚多，皆散盡之，家無所儲，終不問産業，乏則取之於人，不爲皦察之行，然時人服其清。

魏國初建，爲郎中令，行御史大夫事。渙言於太祖曰：『今天下大難已除，文武並用，長久之道也。以爲可大收篇籍，明先聖之教，以易民視聽，使海内斐然向風，則遠人不服可以文德來之。』太祖善其言。時有傳劉備死者，群臣皆賀；渙以嘗爲備舉吏，獨不賀。居官數年卒，太祖爲之流涕，賜穀二千斛，一教『以太倉穀千斛賜郎中令之家』，一教『以垣下穀千斛與曜卿家』，外不解其意。教曰：『以太倉穀者，官法也；以垣下穀者，親舊也。』文帝聞渙昔拒吕布之事，問渙從弟敏：『渙勇怯何如？』敏對曰：『渙貌似和柔，然其臨大節，處危難，雖賁育不過也。』渙子侃，亦清粹閒素，有父風，歷位郡守尚書。

初，渙從弟霸，公恪有功幹，魏初爲大司農，及同郡何夔並知名於時。而霸子亮，夔子曾，與侃

復齊聲友善。亮貞固有學行，疾何晏、鄧颺等，著論以譏切之，位至河南尹、尚書。霸弟徽，以儒素稱。遭天下亂，避難交州。司徒辟，不至。徽弟敏，有武藝而好水功，官至河堤謁者。

張範，字公儀，河内脩武人也。祖父歆，爲漢司徒。父延，爲太尉。太傅袁隗欲以女妻範，範辭不受。性恬静樂道，忽於榮利，徵命無所就。弟承，字公先，亦知名，以方正徵，拜議郎，遷伊闕都尉。董卓作亂，承欲合徒衆與天下共誅卓。承弟昭時爲議郎，適從長安來，謂承曰：『今欲誅卓，衆寡不敵，且起一朝之謀，戰阡陌之民，士不素撫，兵不練習，難以成功。卓阻兵而無義，固不能久；不若擇所歸附，待時而動，然後可以如志。』承然之，乃解印綬間行歸家，與範避地揚州。袁術備禮招請，範稱疾不往，術不强屈也。遣承與相見，術問曰：『昔周室陵遲，則有桓、文之霸；秦失其政，漢接而用之。今孤以土地之廣，士民之衆，欲徼福齊桓，擬迹高祖，何如？』承對曰：『在德不在强。夫能用德以同天下之欲，雖由匹夫之資，而興霸王之功，不足爲難。若苟僭擬，干時而動，衆之所棄，誰能興之？』術不悦。是時，太祖將征冀州，術復問曰：『今曹公欲以弊兵數千，敵十萬之衆，可謂不量力矣！子以爲何如？』承乃曰：『漢德雖衰，天命未改，今曹公挾天子以令天下，雖敵百萬之衆可也。』術作色不懌，承去之。

太祖平冀州，遣使迎範。範以疾留彭城，遣承詣太祖，太祖表以爲諫議大夫。範子陵及承子戩爲山東賊所得，範直詣賊請二子，賊以陵還範。範謝曰：『諸君相還兒厚矣。夫人情雖愛其子，然吾憐戩之小，請以陵易之。』賊義其言，悉以還範。太祖自荆州還，範得見於陳，以爲議郎，參丞相軍事，甚見敬重。太祖征伐，常令範及邴原留，與世子居守。太祖謂文帝：『舉動必諮此二人。』世子執子孫禮。救恤窮乏，家無所餘，中外孤寡皆歸焉。贈遺無所逆，亦終不用，及去，皆以還之。建安十七年卒。魏國初建，承以丞相參軍祭酒領趙郡太守，政化大行。太祖將西征，徵承參軍事，至長安，病卒。

涼茂字伯方，山陽昌邑人也。少好學，論議常據經典，以處是非。太祖辟爲司空掾，舉高第，補侍御史。時泰山多盜賊，以茂爲泰山太守，旬月之間，襁負而至者千餘家。轉爲樂浪太守。公孫度在遼東，擅留茂，不遣之官，然茂終不爲屈。度謂茂及諸將曰：『聞曹公遠征，鄴無守備，今吾欲以步卒三萬，騎萬匹，直指鄴，誰能禦之？』諸將皆曰：『然。』又顧謂茂曰：『於君意何如？』茂答曰：『比者海内大亂，社稷將傾，將軍擁十萬之衆，安坐而觀成敗，夫爲人臣者，固若是邪！曹公憂國家之危敗，愍百姓之苦毒，率義兵爲天下誅殘賊，功高而德廣，可謂無二矣。以海内初定，民始安集，故未責將軍之罪耳！而將軍乃欲稱兵西向，則存亡之效，不崇朝而決。將軍其勉之！』諸將聞茂言，皆震動。良久，度曰：『涼君言是也。』後徵還爲魏郡太守、甘陵相，所在有績。文帝爲五官將，茂以選爲長史，遷左軍師。魏國初建，遷尚書僕射，後爲中尉奉常。文帝在東宮，茂復爲太子太傅，甚見敬禮。卒官。

國淵字子尼，樂安蓋人也。師事鄭玄。後與邴原、管寧等避亂遼東。既還舊土，太祖辟爲司空掾屬，每於公朝論議，常直言正色，退無私焉。太祖欲廣置屯田，使淵典其事。淵屢陳損益，相土處

民，計民置吏，明功課之法，五年中倉廩豐實，百姓競勸樂業。太祖征關中，以淵爲居府長史，統留事。田銀、蘇伯反河間，銀等既破，後有餘黨，皆應伏法，淵以爲非首惡，請不行刑。太祖從之，賴淵得生者千餘人。破賊文書，舊以一爲十，及淵上首級，如其實數。太祖問其故，淵曰：『夫征討外寇，多其斬獲之數者，欲以大武功，且示民聽也。河間在封域之內，銀等叛逆，雖克捷有功，淵竊耻之。』太祖大悦，遷魏郡太守。

時有投書誹謗者，太祖疾之，欲必知其主。淵請留其本書，而不宣露。其書多引《二京賦》，淵敕功曹曰：『此郡既大，今在都輦，而少學問者。其簡開解年少，欲遣就師。』功曹差三人，臨遣引見，訓以『所學未及，《二京賦》，博物之書也，世人忽略，少有其師，可求能讀者從受之。』又密喻旨。旬日得能讀者，遂往受業。吏因請使作箋，比方其書，與投書人同手。收攝案問，具得情理。遷太僕。居列卿位，布衣蔬食，禄賜散之舊故宗族，以恭儉自守，卒官。

田疇字子泰，右北平無終人也。好讀書，善擊劍。初平元年，義兵起，董卓遷帝于長安。幽州牧劉虞嘆曰：『賊臣作亂，朝廷播蕩，四海俄然，莫有固志。身備宗室遺老，不得自同於衆。今欲奉使展效臣節，安得不辱命之士乎？』衆議咸曰：『田疇雖年少，多稱其奇。』疇時年二十二矣。虞乃備禮請與相見，大悦之，遂署爲從事，具其車騎。將行，疇曰：『今道路阻絶，寇虜縱横，稱官奉使，爲衆所指名。願以私行，期於得達而已。』虞從之。疇乃歸，自選其家客與年少之勇壯慕從者二十騎俱往。虞自出祖而遣之。既取道，疇乃更上西關，出塞，傍北山，直趣朔方，循閒徑去，遂至長安致命。詔拜騎都尉。疇以爲天子方蒙塵未安，不可以荷佩榮寵，固辭不受。朝廷高其義。三府並辟，皆不就。得報，馳還，未至，虞已爲公孫瓚所害。疇至，謁祭虞墓，陳發章表，哭泣而去。瓚聞之大怒，購求獲疇，謂曰：『汝何自哭劉虞墓，而不送章報於我也？』疇答曰：『漢室衰頽，人懷異心，唯劉公不失忠節。章報所言，於將軍未美，恐非所樂聞，故不進也。且將軍方舉大事以求所欲，既滅無罪之君，又讎守義之臣，誠行此事，則燕、趙之士將皆蹈東海而死耳，豈忍有從將軍者乎！』瓚壯其對，釋不誅也。拘之軍下，禁其故人莫得與通。或説瓚曰：『田疇義士，君弗能禮，而又囚之，恐失衆心。』瓚乃縱遣疇。

疇得北歸，率舉宗族他附從數百人，掃地而盟曰：『君仇不報，吾不可以立於世！』遂入徐無山中，營深險平敞地而居，躬耕以養父母。百姓歸之，數年閒至五千餘家。疇謂其父老曰：『諸君不以疇不肖，遠來相就。衆成都邑，而莫相統一，恐非久安之道，願推擇其賢長者以爲之主。』皆曰：『善。』同僉推疇。疇曰：『今來在此，非苟安而已，將圖大事，復怨雪耻。竊恐未得其志，而輕薄之徒自相侵侮，偷快一時，無深計遠慮。疇有愚計，願與諸君共施之，可乎？』皆曰：『可。』疇乃爲約束相殺傷、犯盜、諍訟之法，法重者至死，其次抵罪，二十餘條。又制爲婚姻嫁娶之禮，興舉學校講授之業，班行其衆，衆皆便之，至道不拾遺。北邊翕然服其威信，烏丸、鮮卑並各遣譯使致貢遺，疇悉撫納，令不爲寇。袁紹數遣使招命，又即授將軍印，因安輯所統，疇皆拒不受。紹死，其子尚又辟焉，疇終不行。

疇常忿烏丸昔多賊殺其郡冠蓋，有欲討之意而力未能。建安十二年，太祖北征烏丸，未至，先遣使辟疇，又命田豫喻指。疇戒其門下趣治嚴。門人謂曰：『昔袁公慕君，禮命五至，君義不屈；今曹公使一來而君若恐弗及者，何也？』疇笑而應之曰：『此非君所識也。』遂隨使者到軍，署司空戶曹掾，引見諮議。明日出令曰：『田子泰非吾所宜吏者。』即舉茂才，拜爲蓨令，不之官，隨軍次無終。時方夏水雨，而濱海洿下，濘滯不通，虜亦遮守蹊要，軍不得進。太祖患之，以問疇。疇曰：『此道，秋夏每常有水，淺不通車馬，深不載舟船，爲難久矣。舊北平郡治在平岡，道出盧龍，達于柳城；自建武以來，陷壞斷絕，垂二百載，而尚有微徑可從。今虜將以大軍當由無終，不得進而退，懈弛無備。若嘿回軍，從盧龍口越白檀之險，出空虛之地，路近而便，掩其不備，蹋頓之首可不戰而禽也。』太祖曰：『善。』乃引軍還，而署大木表于水側路傍曰：『方今暑夏，道路不通，且俟秋冬，乃復進軍。』虜候騎見之，誠以爲大軍去也。太祖令疇將其衆爲鄉導，上徐無山，出盧龍，歷平岡，登白狼堆，去柳城二百餘里，虜乃驚覺。單于身自臨陳，太祖與交戰，遂大斬獲，追奔逐北，至柳城。軍還入塞，論功行封，封疇亭侯，邑五百戶。疇自以始爲居難，率衆遁逃，志義不立，反以爲利，非本意也，固讓。太祖知其至心，許而不奪。

遼東斬送袁尚首，令『三軍敢有哭之者斬』。疇以嘗爲尚所辟，乃往弔祭。太祖亦不問。疇盡將其家屬及宗人三百餘家居鄴。太祖賜疇車馬穀帛，皆散之宗族和知舊。從征荊州還，太祖追念疇功殊美，恨前聽疇之讓，曰：『是成一人之志，而虧王法大制也。』於是乃復以前爵封疇。疇上疏陳誠，以死自誓。太祖不聽，欲引拜之，至于數四，終不受。有司劾疇狷介違道，苟立小節，宜免官加刑。太祖重其事，依違者久之。乃下世子及大臣博議，世子以疇同於子文辭祿，申胥逃賞，宜勿奪以優其節。尚書令荀彧、司隸校尉鍾繇亦以爲可聽。太祖猶欲侯之。疇素與夏侯惇善，太祖語惇曰：『且往以情喻之，自從君所言，無告吾意也。』惇就疇宿，如太祖所戒。疇揣知其指，不復發言。惇臨去，乃拊疇背曰：『田君，主意殷勤，曾不能顧乎！』疇答曰：『是何言之過也！疇，負義逃竄之人耳，蒙恩全活，爲幸多矣。豈可賣盧龍之塞，以易賞祿哉？縱國私疇，疇獨不愧於心乎？將軍雅知疇者，猶復如此，若必不得已，請願效死刎首於前。』言未卒，涕泣橫流。惇具答太祖。太祖喟然知不可屈，乃拜爲議郎。年四十六卒。子又早死。文帝踐阼，高疇德義，賜疇從孫續爵關内侯，以奉其嗣。

王脩字叔治，北海營陵人也。年七歲喪母。母以社日亡，來歲鄰里社，脩感念母，哀甚。鄰里聞之，爲之罷社。年二十，游學南陽，止張奉舍。奉舉家得疾病，無相視者，脩親隱恤之，病愈乃去。初平中，北海孔融召以爲主簿，守高密令。高密孫氏素豪俠，人客數犯法。民有相劫者，賊入孫氏，吏不能執。脩將吏民圍之，孫氏拒守，吏民畏憚不敢近。脩令吏民：『敢有不攻者與同罪。』孫氏懼，乃出賊。由是豪强懾服。舉孝廉，脩讓邴原，融不聽。時天下亂，遂不行。頃之，郡中有反者。脩聞融有難，夜往奔融。賊初發，融謂左右曰：『能冒難來，唯王脩耳！』言終而脩至。復署功曹。時膠東多賊寇，復令脩守膠東令。膠東人公沙盧宗强，自爲營塹，不肯應發調。脩獨將數騎徑入其門，斬

盧兄弟，公沙氏驚愕莫敢動。脩撫慰其餘，由是寇少止。融每有難，脩雖休歸在家，無不至。融常賴脩以免。

袁譚在青州，辟脩爲治中從事，别駕劉獻數毀短脩。後獻以事當死，脩理之，得免。時人益以此多焉。袁紹又辟脩除即墨令，後復爲譚别駕。紹死，譚、尚有隙。尚攻譚，譚軍敗，脩率吏民往救譚。譚喜曰：『成吾軍者，王别駕也。』譚之敗，劉詢起兵漯陰，諸城皆應。譚嘆息曰：『今舉州背叛，豈孤之不德邪！』脩曰：『東萊太守管統雖在海表，此人不反，必來。』後十餘日，統果棄其妻子來赴譚，妻子爲賊所殺，譚更以統爲樂安太守。譚復欲攻尚，脩諫曰：『兄弟還相攻擊，是敗亡之道也。』譚不悅，然知其志節。後又問脩：『計安出？』脩曰：『夫兄弟者，左右手也。譬人將鬬而斷其右手，而曰「我必勝」，若是者可乎？夫棄兄弟而不親，天下其誰親之！屬有讒人，固將交鬬其間，以求一朝之利，願明使君塞耳勿聽也。若斬佞臣數人，復相親睦，以禦四方，可以横行天下。』譚不聽，遂與尚相攻擊，請救於太祖。太祖既破冀州，譚又叛。太祖遂引軍攻譚于南皮。脩時運糧在樂安，聞譚急，將所領兵及諸從事數十人往赴譚。至高密，聞譚死，下馬號哭曰：『無君焉歸？』遂詣太祖，乞收葬譚尸。太祖欲觀脩意，默然不應。脩復曰：『受袁氏厚恩，若得收斂譚尸，然後就戮，無所恨。』太祖嘉其義，聽之。以脩爲督軍糧，還樂安。譚之破，諸城皆服，唯管統以樂安不從命。太祖命脩取統首，脩以統亡國之忠臣，因解其縛，使詣太祖。太祖悅而赦之。袁氏政寬，在職勢者多畜聚。太祖破鄴，籍没審配等家財物貲以萬數。及破南皮，閱脩家，穀不滿十斛，有書數百卷。太祖嘆曰：『士不妄有名。』乃禮辟爲司空掾，行司金中郎將，遷魏郡太守。爲治，抑强扶弱，明賞罰，百姓稱之。魏國既建，爲大農郎中令。太祖議行肉刑，脩以爲時未可行，太祖採其議。徙爲奉常。其後嚴才反，與其徒屬數十人攻掖門。脩聞變，召車馬未至，便將官屬步至宫門。太祖在銅爵臺望見之，曰：『彼來者必王叔治也。』相國鍾繇謂脩：『舊，京城有變，九卿各居其府。』脩曰：『食其禄，焉避其難？居府雖舊，非赴難之義。』頃之，病卒官。子忠，官至東萊太守、散騎常侍。初，脩識高柔于弱冠，異王基于幼童，終皆遠至，世稱其知人。

邴原字根矩，北海朱虚人也。少與管寧俱以操尚稱，州府辟命皆不就。黄巾起，原將家屬入海，住鬱洲山中。時孔融爲北海相，舉原有道。原以黄巾方盛，遂至遼東，與同郡劉政俱有勇略雄氣。遼東太守公孫度畏惡欲殺之，盡收捕其家，政得脱。度告諸縣：『敢有藏政者與同罪。』政窘急，往投原，原匿之月餘，時東萊太史慈當歸，原因以政付之。既而謂度曰：『將軍前日欲殺劉政，以其爲己害。今政已去，君之害豈不除哉！』度曰：『然。』原曰：『君之畏政者，以其有智也。今政已免，智將用矣，尚奚拘政之家？不若赦之，無重怨。』度乃出之。原又資送政家，皆得歸故郡。原在遼東，一年中往歸原居者數百家，游學之士，教授之聲，不絶。

後得歸，太祖辟爲司空掾。原女早亡，時太祖愛子倉舒亦没，太祖欲求合葬，原辭曰：『合葬，非禮也。原之所以自容於明公，公之所以待原者，以能守訓典而不易也。若聽明公之命，則是凡庸也，明公焉以爲哉？』太祖乃止，徙署丞相徵事。崔琰爲東曹掾，記讓曰：『徵事邴原、議郎張範，皆

秉德純懿，志行忠方，清静足以厲俗，貞固足以幹事，所謂龍翰鳳翼，國之重寳。舉而用之，不仁者遠。』代涼茂爲五官將長史，閉門自守，非公事不出。太祖征吴，原從行，卒。

是後大鴻臚鉅鹿張泰、河南尹扶風龐迪以清賢稱，永寧太僕東郡張閣以簡質聞。

管寧字幼安，北海朱虚人也。年十六喪父，中表愍其孤貧，咸共贈賵，悉辭不受，稱財以送終。長八尺，美須眉。與平原華歆、同縣邴原相友，俱游學於異國，並敬善陳仲弓。天下大亂，聞公孫度令行於海外，遂與原及平原王烈等至于遼東。度虚館以候之。既往見度，乃廬於山谷。時避難者多居郡南，而寧居北，示無遷志，後漸來從之。太祖爲司空，辟寧，度子康絶命不宣。

王烈者，字彦方，於時名聞在原、寧之右。辭公孫度長史，商賈自穢。太祖命爲丞相掾，徵事，未至，卒於海表。

中國少安，客人皆還，唯寧晏然若將終焉。黄初四年，詔公卿舉獨行君子，司徒華歆薦寧。文帝即位，徵寧，遂將家屬浮海還郡，公孫恭送之南郊，加贈服物。自寧之東也，度、康、恭前後所資遺，皆受而藏諸。既已西渡，盡封還之。詔以寧爲太中大夫，固辭不受。明帝即位，太尉華歆遜位讓寧，遂下詔曰：『太中大夫管寧，耽懷道德，服膺六藝，清虚足以侔古，廉白可以當世。曩遭王道衰缺，浮海遁居，大魏受命，則襁負而至，斯蓋應龍潛升之道，聖賢用舍之義。而黄初以來，徵命屢下，每輒辭疾，拒違不至。豈朝廷之政，與生殊趣，將安樂山林，往而不能反乎！夫以姬公之聖，而耇德不降，則鳴鳥弗聞。以秦穆之賢，猶思詢乎黄髮。況朕寡德，曷能不願聞道于子大夫哉！今以寧爲光禄勳。禮有大倫，君臣之道，不可廢也。望必速至，稱朕意焉。』又詔青州刺史曰：『寧抱道懷貞，潛翳海隅，比下徵書，違命不至，盤桓利居，高尚其事。雖有素履幽人之貞，而失考父兹恭之義，使朕虚心引領歷年，其何謂邪？徒欲懷安，必肆其志，不惟古人亦有翻然改節以隆斯民乎！日逝月除，時方已過，澡身浴德，將以曷爲？仲尼有言：「吾非斯人之徒與而誰與哉！」其命別駕從事郡丞掾，奉詔以禮發遣寧詣行在所，給安車、吏從、茵蓐、道上厨食，上道先奏。』寧稱草莽臣上疏曰：『臣海濱孤微，罷農無伍，禄運幸厚。横蒙陛下纂承洪緒，德侔三皇。化溢有唐。久荷渥澤，積祀一紀，不能仰答陛下恩養之福。沈委篤痾，寢疾彌留，逋違臣隸顛倒之節，夙宵戰怖，無地自厝。臣元年十一月被公車司馬令所下州郡，八月甲申詔書徵臣，更賜安車、衣被、茵蓐，以禮發遣，光寵並臻，優命屢至，怔營竦息，悼心失圖。思自陳聞，申展愚情，而明詔抑割，不令稍脩章表，是以鬱滯，訖于今日。誠謂乾覆，恩有紀極，不意靈潤，彌以隆赫。奉今年二月被州郡所下三年十二月辛酉詔書，重賜安車、衣服，別駕從事與郡功曹以禮發遣，又特被璽書，以臣爲光禄勳，躬秉勞謙，引喻周、秦，損上益下。受詔之日，精魄飛散，靡所投死。臣重自省揆，德非園、綺而蒙安車之榮，功無竇融而蒙璽封之寵，粢棁駑下，荷棟梁之任，垂没之命，獲九棘之位，懼有朱博鼓妖之眚。又年疾日侵，有加無損，不任扶輿進路以塞元責。望慕閶闔，徘徊闕庭，謹拜章陳情，乞蒙哀省，抑恩聽放，無令骸骨填于衢路。』自黄初至于青龍，徵命相仍，常以八月賜牛酒。詔書問青州刺史程喜：『寧爲守節高乎，審老疾尫頓邪？』喜上言：『寧有族人管貢爲州吏，與寧鄰比，臣常使經營消息。

頁說：「寧常著皂帽、布襦袴、布裙，隨時單複，出入閨庭，能自任杖，不須扶持。四時祠祭，輒自力强，改加衣服，著絮巾，故在遼東所有白布單衣，親薦饌饋，跪拜成禮。寧少而喪母，不識形象，常特加觴，泫然流涕。又居宅離水七八十步，夏時詣水中澡灑手足，闚於園圃。」臣揆寧前後辭讓之意，獨自以生長潛逸，耆艾智衰，是以棲遲，每執謙退。此寧志行所欲必全，不爲守高。」

正始二年，太僕陶丘一、永寧衛尉孟觀、侍中孫邕、中書侍郎王基薦寧曰：

臣聞龍鳳隱耀，應德而臻，明哲潛遁，俟時而動。是以鸑鷟鳴岐，周道隆興，四皓爲佐，漢帝用康。伏見太中大夫管寧，應二儀之中和，總九德之純懿，含章素質，冰絜淵清，玄虛澹泊，與道逍遥；娛心黃老，游志六藝，升堂入室，究其閫奧，韜古今於胸懷，包道德之機要。中平之際，黃巾陸梁，華夏傾蕩，王綱弛頓。遂避時難，乘桴越海，羈旅遼東三十餘年。在乾之姤，匿景藏光，嘉遁養浩，韜韞儒墨，潛化傍流，暢于殊俗。

黃初四年，高祖文皇帝疇諮群公，思求雋乂，故司徒華歆舉寧應選，公車特徵，振翼遐裔，翻然來翔。行遇屯厄，遭罹疾病，即拜太中大夫。烈祖明皇帝嘉美其德，登爲光祿勳。寧疾彌留，未能進道。今寧舊疾已瘳，行年八十，志無衰倦。環堵篳門，偃息窮巷，飯鬻餬口，并日而食，吟咏《詩》、《書》，不改其樂。困而能通，遭難必濟，經危蹈險，不易其節，金聲玉色，久而彌彰。揆其終始，殆天所祚，當贊大魏，輔亮雍熙。衮職有闕，群下屬望。昔高宗刻象，營求賢哲，周文啓龜，以卜良佐。況寧前朝所表，名德已著，而久栖遲，未時引致，非所以奉遵明訓，繼成前志也。陛下踐阼，纂承洪緒。聖敬日躋，超越周成。每發德音，動諮師傅。若繼二祖招賢故典，賓禮俊邁，以廣緝熙，濟濟之化，侔于前代。

寧清高恬泊，擬迹前軌，德行卓絶，海内無偶。歷觀前世玉帛所命，申公、枚乘、周黨、樊英之儔，測其淵源，覽其清濁，未有厲俗獨行若寧者也。誠宜束帛加璧，備禮徵聘，仍授几杖，延登東序，敷陳墳素，坐而論道，上正璇璣，協和皇極，下阜群生，彝倫攸敘，必有可觀，光益大化。若寧固執匪石，守志箕山，追迹洪崖，參踪巢、許。斯亦聖朝同符唐、虞，優賢揚歷，垂聲千載。雖出處殊塗，俯仰異體，至於興治美俗，其揆一也。

於是特具安車蒲輪，束帛加璧聘焉。會寧卒，時年八十四。拜子邈郎中，後爲博士。初，寧妻先卒，知故勸更娶，寧曰：『每省曾子、王駿之言，意常嘉之，豈自遭之而違本心哉？』

時鉅鹿張臶，字子明，潁川胡昭，字孔明，亦養志不仕。臶少游太學，學兼内外，後歸鄉里。袁紹前後辟命，不應，移居上黨。并州牧高幹表除樂平令，不就，徙循常山，門徒且數百人，遷居任縣。太祖爲丞相，辟，不詣。太和中，詔求隱學之士能消災復異者，郡累上臶，發遣，老病不行。廣平太守盧毓到官三日，綱紀白承前致版謁臶。毓教曰：『張先生所謂上不事天子，下不友諸侯者也。此豈版謁所可光飾哉！』但遣主簿奉書致羊酒之禮。青龍四年辛亥詔書：『張掖郡玄川溢涌，激波奮蕩，寶石負圖，狀像靈龜，宅于川西，嶷然磐峙，倉質素章，麟鳳龍馬，焕炳成形，文字告命，粲然著明。太史令高堂隆上言：古皇聖帝所未嘗蒙，實有魏之禎命，東序之世寶。』事頒天下。任令于綽連齎

以問琦，琦密謂綽曰：『夫神以知來，不追已往，禎祥先見而後廢興從之。漢已久亡，魏已得之，何所追興徵祥乎！此石，當今之變異而將來之禎瑞也。』正始元年，戴鵀之鳥，巢琦門陰。琦告門人曰：『夫戴鵀陽鳥，而巢門陰，此凶祥也。』乃援琴歌咏，作詩二篇，旬日而卒，時年一百五歲。是歲，廣平太守王肅至官，教下縣曰：『前在京都，聞張子明，來至問之，會其已亡，致痛惜之。此君篤學隱居，不與時競，以道樂身。昔絳縣老人屈在泥塗，趙孟升之，諸侯用睦。愍其耄勤好道，而不蒙榮寵，書到，遣吏勞問其家，顯題門戶，務加殊異，以慰既往，以勸將來。』

胡昭始避地冀州，亦辭袁紹之命，遁還鄉里。太祖爲司空丞相，頻加禮辟。昭往應命，既至，自陳一介野生，無軍國之用，歸誠求去。太祖曰：『人各有志，出處異趣，勉卒雅尚，義不相屈。』昭乃轉居陸渾山中，躬耕樂道，以經籍自娛。閭里敬而愛之。建安二十三年，陸渾長張固被書調丁夫，當給漢中。百姓惡憚遠役，并懷擾擾。民孫狼等因興兵殺縣主簿，作爲叛亂，縣邑殘破。固率將十餘吏卒，依昭住止，招集遺民，安復社稷。狼等遂南附關羽。羽授印給兵，還爲寇賊，到陸渾南長樂亭，自相約誓，言：『胡居士賢者也，一不得犯其部落。』一川賴昭，咸無怵惕。天下安輯，徙宅宜陽。正始中，驃騎將軍趙儼、尚書黄休、郭彝、散騎常侍荀顗、鍾毓、太僕庾嶷、弘農太守何楨等遞薦昭曰：『天真高絜，老而彌篤。玄虛静素，有夷、皓之節。宜蒙徵命，以勵風俗。』至嘉平二年，公車特徵，會卒，年八十九。拜子纂郎中。初，昭善史書，與鍾繇、邯鄲淳、衛顗、韋誕並有名，尺牘之迹，動見模楷焉。

評曰：袁渙、邴原、張範躬履清蹈，進退以道，蓋是貢禹、兩龔之匹。凉茂、國淵亦其次也。張承名行亞範，可謂能弟矣。田疇抗節，王脩忠貞，足以矯俗；管寧淵雅高尚，確然不拔；張琦、胡昭闔門守静，不營當世：故并録焉。

三國志卷十二

魏書十二

崔毛徐何邢鮑司馬傳第十二

崔琰字季珪，清河東武城人也。少樸訥，好擊劍，尚武事。年二十三，鄉移爲正，始感激，讀《論語》、《韓詩》。至年二十九，乃結公孫方等就鄭玄受學。學未期，徐州黄巾賊攻破北海，玄與門人到不其山避難。時穀糴縣乏，玄罷謝諸生。琰既受遣，而寇盜充斥，西道不通。于是周旋青、徐、兖、豫之郊，東下壽春，南望江、湖。自去家四年乃歸，以琴書自娱。

大將軍袁紹聞而辟之。時士卒横暴，掘發丘隴，琰諫曰：『昔孫卿有言：「士不素教，甲兵不利，雖湯武不能以戰勝。」今道路暴骨，民未見德，宜敕郡縣掩骼埋胔，示憯怛之愛，追文王之仁。』紹以爲騎都尉。後紹治兵黎陽，次于延津，琰復諫曰：『天子在許，民望助順，不如守境述職，以寧區宇。』紹不聽，遂敗于官渡。及紹卒，二子交争，争欲得琰。琰稱疾固辭，由是獲罪，幽于囹圄，賴陰夔、陳琳營救得免。

太祖破袁氏，領冀州牧，辟琰爲别駕從事，謂琰曰：『昨案户籍，可得三十萬衆，故爲大州也。』琰對曰：『今天下分崩，九州幅裂，二袁兄弟親尋干戈，冀方蒸庶暴骨原野。未聞王師仁聲先路，存問風俗，救其塗炭，而校計甲兵，唯此爲先，斯豈鄙州士女所望於明公哉！』太祖改容謝之。于時賓客皆伏失色。

太祖征并州，留琰傅文帝於鄴。世子仍出田獵，變易服乘，志在驅逐。琰書諫曰：『蓋聞盤于游田，《書》之所戒，魯隱觀魚，《春秋》譏之，此周、孔之格言，二經之明義。殷鑒夏后，《詩》稱不遠，子卯不樂，《禮》以爲忌，此又近者之得失，不可不深察也。袁族富强，公子寬放，盤游滋侈，義聲不聞，哲人君子，俄有色斯之志，熊羆壯士，墮於吞噬之用，固所以擁徒百萬，跨有河朔，無所容足也。今邦國殄瘁，惠康未洽，士女企踵，所思者德。況公親御戎馬，上下勞慘，世子宜遵大路，慎以行正，思經國之高略，内鑒近戒，外揚遠節，深惟儲副，以身爲寶。而猥襲虞旅之賤服，忽馳騖而陵險，志雉兔之小娱，忘社稷之爲重，斯誠有識所以惻心也。唯世子燔翳捐褶，以塞衆望，不令老臣獲罪於天。』世子報曰：『昨奉嘉命，惠示雅數，欲使燔翳捐褶。翳已壞矣，褶亦去焉。後有此比，蒙復誨諸。』

太祖爲丞相，琰復爲東西曹掾屬徵事。初授東曹時，教曰：『君有伯夷之風，史魚之直，貪夫慕名而清，壯士尚稱而厲，斯可以率時者已。故授東曹，往踐厥職。』魏國初建，拜尚書。時未立太子，臨菑侯植有才而愛。太祖狐疑，以函令密訪於外。唯琰露板答曰：『蓋聞《春秋》之義，立子以長，加五官將仁孝聰明，宜承正統。琰以死守之。』植，琰之兄女婿也。太祖貴其公亮，喟然嘆息，遷中尉。

琰聲姿高暢，眉目疏朗，鬚長四尺，甚有威重，朝士瞻望，而太祖亦敬憚焉。琰嘗薦鉅鹿楊訓，雖才好不足，而清貞守道，太祖即禮辟之。後太祖爲魏王，訓發表稱贊功伐，褒述盛德。時人或笑訓

希世浮僞，謂琰爲失所舉。琰從訓取表草視之，與訓書曰：『省表，事佳耳！時乎時乎，會當有變時。』琰本意譏論者好譴呵而不尋情理也。有白琰此書傲世怨謗者，太祖怒曰：『諺言「生女耳」，「耳」非佳語。「會當有變時」，意指不遜。』於是罰琰爲徒隸，使人視之，辭色不撓。太祖令曰：『琰雖見刑，而通賓客，門若市人，對賓客虬鬚直視，若有所瞋。』遂賜琰死。

始琰與司馬朗善，晉宣王方壯，琰謂朗曰：『子之弟，聰哲明允，剛斷英跱，殆非子之所及也。』朗以爲不然，而琰每秉此論。琰從弟林，少無名望，雖姻族猶多輕之，而琰常曰：『此所謂大器晚成者也，終必遠至。』涿郡孫禮、盧毓始入軍府，琰又名之曰：『孫疏亮亢烈，剛簡能斷，盧清警明理，百煉不消，皆公才也。』後林、禮、毓咸至鼎輔。及琰友人公孫方、宋階早卒，琰撫其遺孤，恩若己子。其鑒識篤義，類皆如此。

初，太祖性忌，有所不堪者，魯國孔融、南陽許攸、婁圭，皆以恃舊不虔見誅。而琰最爲世所痛惜，至今冤之。

毛玠字孝先，陳留平丘人也。少爲縣吏，以清公稱。將避亂荆州，未至，聞劉表政令不明，遂往魯陽。太祖臨兖州，辟爲治中從事。玠語太祖曰：『今天下分崩，國主遷移，生民廢業，饑饉流亡，公家無經歲之儲，百姓無安固之志，難以持久。今袁紹、劉表，雖士民衆强，皆無經遠之慮，未有樹基建本者也。夫兵義者勝，守位以財，宜奉天子以令不臣，脩耕植，畜軍資，如此則霸王之業可成也。』太祖敬納其言，轉幕府功曹。

太祖爲司空丞相，玠嘗爲東曹掾，與崔琰並典選舉。其所舉用，皆清正之士，雖於時有盛名而行不由本者，終莫得進。務以儉率人，由是天下之士莫不以廉節自勵，雖貴寵之臣，輿服不敢過度。太祖嘆曰：『用人如此，使天下人自治，吾復何爲哉！』文帝爲五官將，親自詣玠，屬所親眷。玠答曰：『老臣以能守職，幸得免戾，今所説人非遷次，是以不敢奉命。』大軍還鄴，議所并省。玠請謁不行，時人憚之，咸欲省東曹。乃共白曰：『舊西曹爲上，東曹爲次，宜省東曹。』太祖知其情，令曰：『日出於東，月盛於東，凡人言方，亦復先東，何以省東曹？』遂省西曹。初，太祖平柳城，班所獲器物，特以素屏風素馮几賜玠，曰：『君有古人之風，故賜君古人之服。』玠居顯位，常布衣蔬食，撫育孤兄子甚篤，賞賜以振施貧族，家無所餘。遷右軍師。魏國初建，爲尚書僕射，復典選舉。時太子未定，而臨菑侯植有寵，玠密諫曰：『近者袁紹以嫡庶不分，覆宗滅國。廢立大事，非所宜聞。』後群僚會，玠起更衣，太祖目指曰：『此古所謂國之司直，我之周昌也。』

崔琰既死，玠内不悦。後有白玠者：『出見黥面反者，其妻子没爲官奴婢，玠言曰「使天不雨者蓋此也」。』太祖大怒，收玠付獄。大理鍾繇詰玠曰：『自古聖帝明王，罪及妻子。《書》云：「左不共左，右不共右，予則孥戮女。」司寇之職，男子入于罪隸，女子入于舂稿。漢律，罪人妻子没爲奴婢，黥面。漢法所行黥墨之刑，存於古典。今真奴婢祖先有罪，雖歷百世，猶有黥面供官，一以寬良民之命，二以宥并罪之辜。此何以負於神明之意，而當致旱？案典謀，急恒寒若，舒恒燠若，寬則亢陽，所以爲旱。玠之吐言，以爲寬邪，以爲急也？急當陰霖，何以反旱？成湯聖世，野無生草，

周宣令主，旱魃爲虐。亢旱以來，積三十年，歸咎黥面，爲相值不？衛人伐邢，師興而雨，罪惡無徵，何以應天？玠譏謗之言，流於下民，不悦之聲，上聞聖聽。玠之吐言，勢不獨語，時見黥面，凡爲幾人？黥面奴婢，所識知邪？何緣得見，對之嘆言？時以語誰？見答云何？以何日月？於何處所？事已發露，不得隱欺，具以狀對。』玠曰：『臣聞蕭生縊死，困於石顯；賈子放外，讒在絳、灌；白起賜劍於杜郵；晁錯致誅於東市；伍員絶命於吴都：斯數子者，或妒其前，或害其後。臣垂齠執簡，累勤取官，職在機近，人事所竄。屬臣以私，無勢不絶，語臣以寃，無細不理。人情淫利，爲法所禁，法禁于利，勢能害之。青蠅横生，爲臣作謗，謗臣之人，勢不在他。昔王叔、陳生争正王廷，宣子平理。命舉其契，是非有宜，曲直有所，《春秋》嘉焉，是以書之。臣不言此，無有時、人。説臣此言，必有徵要。乞蒙宣子之辨，而求王叔之對。若臣以曲聞，即刑之日，方之安駟之贈；賜劍之來，比之重賞之惠。謹以狀對。』時桓階、和洽進言救玠。玠遂免黜，卒于家。太祖賜棺器錢帛，拜子機郎中。

徐奕字季才，東莞人也。避難江東，孫策禮命之。奕改姓名，微服還本郡。太祖爲司空，辟爲掾屬，從西征馬超。超破，軍還。時關中新服，未甚安，留奕爲丞相長史，鎮撫西京，西京稱其威信。轉爲雍州刺史，復還爲東曹屬。丁儀等見寵於時，並害之，而奕終不爲動。出爲魏郡太守。太祖征孫權，徙爲留府長史，謂奕曰：『君之忠亮，古人不過也，然微太嚴。昔西門豹佩韋以自緩，夫能以柔弱制剛强者，望之於君也。今使君統留事，孤無復還顧之憂也。』魏國既建，爲尚書，復典選舉，遷尚書令。

太祖征漢中，魏諷等謀反，中尉楊俊左遷。太祖嘆曰：『諷所以敢生亂心，以吾爪牙之臣無遏奸防謀者故也。安得如諸葛豐者，使代俊乎！』桓階曰：『徐奕其人也。』太祖乃以奕爲中尉，手令曰：『昔楚有子玉，文公爲之側席而坐；汲黯在朝，淮南爲之折謀。《詩》稱「邦之司直」，君之謂與！』在職數月，疾篤乞退，拜諫議大夫，卒。

何夔字叔龍，陳郡陽夏人也。曾祖父熙，漢安帝時官至車騎將軍。夔幼喪父，與母兄居，以孝友稱。長八尺三寸，容貌矜嚴。避亂淮南。後袁術至壽春，辟之，夔不應，然遂爲術所留。久之，術與橋蕤俱攻圍蘄陽，蘄陽爲太祖固守。術以夔彼郡人，欲脅令説蘄陽。夔謂術謀臣李業曰：『昔柳下惠聞伐國之謀而有憂色，曰「吾聞伐國不問仁人，斯言何爲至于我哉」！』遂遁匿灊山。術知夔終不爲己用，乃止。術從兄山陽太守遺母，夔從姑也，是以雖恨夔而不加害。

建安二年，夔將還鄉里，度術必急追，乃閒行得免，明年到本郡。頃之，太祖辟爲司空掾屬。時有傳袁術軍亂者，太祖問夔曰：『君以爲信不？』夔對曰：『天之所助者順，人之所助者信。術無信順之實，而望天人之助，此不可以得志於天下。夫失道之主，親戚叛之，而况於左右乎！以夔觀之，其亂必矣。』太祖曰：『爲國失賢則亡。君不爲術所用，亂，不亦宜乎！』太祖性嚴，掾屬公事，往往加杖；夔常畜毒藥，誓死無辱，是以終不見及。出爲城父令。遷長廣太守。郡濱山海，黄巾未平，豪傑多背叛，袁譚就加以官位。長廣縣人管承，徒衆三千餘家，爲寇害。議者欲舉兵攻之。夔曰：

『承等非生而樂亂也，習於亂，不能自還，未被德教，故不知反善。今兵迫之急，彼恐夷滅，必並力戰。攻之既未易拔，雖勝，必傷吏民。不如徐喻以恩德，使容自悔，可不煩兵而定。』乃遣郡丞黃珍往，爲陳成敗，承等皆請服。夔遣吏成弘領校尉，長廣縣丞等郊迎奉牛酒，詣郡。牟平賊從錢，衆亦數千，夔率郡兵與張遼共討定之。東牟人王營，衆三千餘家，脅昌陽縣爲亂。夔遣吏王欽等，授以計略，使離散之。旬月皆平定。

是時太祖始制新科下州郡，又收租稅綿絹。夔以郡初立，近以師旅之後，不可卒繩以法，乃上言曰：『自喪亂已來，民人失所，今雖小安，然服教日淺。所下新科，皆以明罰敕法，齊一大化也。所領六縣，疆域初定，加以饑饉，若一切齊以科禁，恐或有不從教者。有不從教者不得不誅，則非觀民設教隨時之意也。先王辨九服之賦以殊遠近，制三典之刑以平治亂，愚以爲此郡宜依遠域新邦之典，其民間小事，使長吏臨時隨宜，上不背正法，下以順百姓之心。比及三年，民安其業，然後齊之以法，則無所不至矣。』太祖從其言。徵還，參丞相軍事。海賊郭祖寇暴樂安、濟南界，州郡苦之。太祖以夔前在長廣有威信，拜樂安太守。到官數月，諸城悉平。

入爲丞相東曹掾。夔言於太祖曰：『自軍興以來，制度草創，用人未詳其本，是以各引其類，時忘道德。夔聞以賢制爵，則民慎德；以庸制祿，則民興功。以爲自今所用，必先核之鄉閭，使長幼順叙，無相逾越。顯忠直之賞，明公實之報，則賢不肖之分，居然別矣。又可修保舉故不以實之令，使有司別受其負。在朝之臣，特受教與曹並選者，各任其責。上以觀朝臣之節，下以塞爭競之源，以督

群下，以率萬民，如是則天下幸甚。』太祖稱善。魏國既建，拜尚書僕射。文帝爲太子，以涼茂爲太傅，夔爲少傅；特命二傅與尚書東曹並選太子諸侯官屬。茂卒，以夔代茂。每月朔，太傅入見太子，太子正法服而禮焉；他日無會儀。夔遷太僕，太子欲與辭，宿戒供，夔無往意；乃與書請之，夔以國有常制，遂不往。其履正如此。然於節儉之世，最爲豪汰。文帝踐阼，封成陽亭侯，邑三百户。疾病，屢乞遜位。詔報曰：『蓋禮賢親舊，帝王之常務也。以親則君有輔弼之勳焉，以賢則君有醇固之茂焉。夫有陰德者必有陽報，今君疾雖未瘳，神明聽之矣。君其即安，以順朕意。』薨，謚曰靖侯。子曾嗣，咸熙中爲司徒。

邢顒字子昂，河間鄚人也。舉孝廉，司徒辟，皆不就。易姓字，適右北平，從田疇游。積五年，而太祖定冀州。顒謂疇曰：『黄巾起來二十餘年，海内鼎沸，百姓流離。今聞曹公法令嚴。民厭亂矣，亂極則平。請以身先。』遂裝還鄉裏。田疇曰：『邢顒，民之先覺也。』乃見太祖，求爲鄉導以克柳城。

太祖辟顒爲冀州從事，時人稱之曰：『德行堂堂邢子昂。』除廣宗長，以故將喪棄官。有司舉正，太祖曰：『顒篤於舊君，有一致之節。勿問也。』更辟司空掾，除行唐令，勸民農桑，風化大行。入爲丞相門下督，遷左馮翊，病，去官。是時，太祖諸子高選官屬，令曰：『侯家吏，宜得淵深法度如邢顒輩。』遂以爲平原侯植家丞。顒防閑以禮，無所屈撓，由是不合。庶子劉楨書諫植曰：『家丞邢顒，北土之彦，少秉高節，玄靜澹泊，言少理多，真雅士也。楨誠不足同貫斯人，並列左右。而楨禮遇殊

特，顒反疏簡，私懼觀者將謂君侯習近不肖，禮賢不足，採庶子之春華，忘家丞之秋實。爲上招謗，其罪不小，以此反側。」後參丞相軍事，轉東曹掾。初，太子未定，而臨菑侯植有寵，丁儀等並贊翼其美。太祖問顒，顒對曰：「以庶代宗，先世之戒也。願殿下深重察之！」太祖識其意，後遂以爲太子少傅，遷太傅。文帝踐阼，爲侍中尚書僕射，賜爵關内侯，出爲司隸校尉，徙太常。黄初四年薨。子友嗣。

鮑勛字叔業，泰山平陽人也，漢司隸校尉鮑宣九世孫。宣後嗣有從上黨徙泰山者，遂家焉。勛父信，靈帝時爲騎都尉，大將軍何進遣東募兵。後爲濟北相，協規太祖，身以遇害。語在《董卓傳》、《武帝紀》。建安十七年，太祖追録信功，表封勛兄邵新都亭侯。辟勛丞相掾。

二十二年，立太子，以勛爲中庶子。徙黄門侍郎，出爲魏郡西部都尉。太子郭夫人弟爲曲周縣吏，斷盜官布，法應棄市。太祖時在譙，太子留鄴，數手書爲之請罪。勛不敢擅縱，具列上。勛前在東宫，守正不撓，太子固不能悦，及重此事，恚望滋甚。會郡界休兵有失期者，密敕中尉奏免勛官。久之，拜侍御史。延康元年，太祖崩，太子即王位，勛以駙馬都尉兼侍中。

文帝受禪，勛每陳「今之所急，唯在軍農，寬惠百姓。臺榭苑囿，宜以爲後。」文帝將出游獵，勛停車上疏曰：「臣聞五帝三王，靡不明本立教，以孝治天下。陛下仁聖惻隱，有同古烈。臣冀當繼蹤前代，令萬世可則也。如何在諒闇之中，修馳騁之事乎！臣冒死以聞，唯陛下察焉。」帝手毁其表而競行獵，中道頓息，問侍臣曰：「獵之爲樂，何如八音也？」侍中劉曄對曰：「獵勝於樂。」勛抗辭曰：「夫樂，上通神明，下和人理，隆治致化，萬邦咸乂。故移風易俗，莫善於樂。况獵，暴華蓋於原野，傷生育之至理，櫛風沐雨，不以時隙哉？昔魯隱觀漁於棠，《春秋》譏之。雖陛下以爲務，愚臣所不願也。」因奏：「劉曄佞諛不忠，阿順陛下過戲之言。昔梁丘據取媚於遄臺，曄之謂也。請有司議罪以清皇朝。」帝怒作色，罷還，即出勛爲右中郎將。

黄初四年，尚書令陳群、僕射司馬宣王並舉勛爲宫正，宫正即御史中丞也。帝不得已而用之，百寮嚴憚，罔不肅然。六年秋，帝欲征吴，群臣大議，勛面諫曰：「王師屢征而未有所克者，蓋以吴、蜀脣齒相依，憑阻山水，有難拔之勢故也。往年龍舟飄蕩，隔在南岸，聖躬蹈危，臣下破膽。此時宗廟幾至傾覆，爲百世之戒。今又勞兵襲遠，日費千金，中國虚耗，令黠虜玩威，臣竊以爲不可。」帝益忿之，左遷勛爲治書執法。

帝從壽春還，屯陳留郡界。太守孫邕見，出過勛。時營壘未成，但立標埒，邕邪行不從正道，軍營令史劉曜欲推之，勛以塹壘未成，解止不舉。大軍還洛陽，曜有罪，勛奏絀遣，而曜密表勛私解邕事。詔曰：「勛指鹿作馬，收付廷尉。」廷尉法議：「正刑五歲。」三官駮：「依律罰金二斤。」帝大怒曰：「勛無活分，而汝等敢縱之！收三官已下付刺奸，當令十鼠同穴。」太尉鍾繇、司徒華歆、鎮軍大將軍陳群、侍中辛毗、尚書衛臻、守廷尉高柔等並表「勛父信有功於太祖」，求請勛罪。帝不許，遂誅勛。勛内行既脩，廉而能施，死之日，家無餘財。後二旬，文帝亦崩，莫不爲勛嘆恨。

司馬芝字子華，河内温人也。少爲書生，避亂荆州，於魯陽山遇賊，同行者皆棄老弱走，芝獨坐

守老母。賊至，以刃臨芝，芝叩頭曰：『母老，唯在諸君！』賊曰：『此孝子也，殺之不義。』遂得免害，以鹿車推載母。居南方十餘年，躬耕守節。

太祖平荊州，以芝爲菅長。時天下草創，多不奉法。郡主簿劉節，舊族豪俠，賓客千餘家，出爲盜賊，入亂吏治。頃之，芝差節客王同等爲兵，掾史據白：『節家前後未嘗給繇，若至時藏匿，必爲留負。』芝不聽，與節書曰：『君爲大宗，加股肱郡，而賓客每不與役，既衆庶怨望，或流聲上聞。今調同等爲兵，幸時發遣。』兵已集郡，而節藏同等，因令督郵以軍興詭責縣，縣掾史窮困，乞代同行。芝乃馳檄濟南，具陳節罪。太守郝光素敬信芝，即以節代同行，青州號芝『以郡主簿爲兵』。遷廣平令。征虜將軍劉勳，貴寵驕豪，又芝故郡將，賓客子弟在界數犯法。勳與芝書，不著姓名，而多所屬托，芝不報其書，一皆如法。後勳以不軌誅，交關者皆獲罪，而芝以見稱。

遷大理正。有盜官練置都廁上者，吏疑女工，收以付獄。芝曰：『夫刑罪之失，失在苛暴。今贓物先得而後訊其辭，若不勝掠，或至誣服。誣服之情，不可以折獄。且簡而易從，大人之化也。不失有罪，庸世之治耳。今宥所疑，以隆易從之義，不亦可乎！』太祖從其議。歷甘陵、沛、陽平太守，所在有績。黃初中，入爲河南尹，抑强扶弱，私請不行。會內官欲以事托芝，不敢發言，因芝妻伯父董昭。昭猶憚芝，不爲通。芝爲教與群下曰：『蓋君能設教，不能使吏必不犯也。吏能犯教，而不能使君必不聞也。夫設教而犯，君之劣也；犯教而聞，吏之禍也。君劣於上，吏禍於下，此政事所以不理也。可不各勉之哉！』於是下吏莫不自勵。門下循行嘗疑門幹盜簪，幹辭不符，曹執爲獄。芝教曰：『凡物有相似而難分者，自非離婁，鮮能不惑。就其實然，循行何忍重惜一簪，輕傷同類乎！其寢勿問。』

明帝即位，賜爵關內侯。頃之，特進曹洪乳母當，與臨汾公主侍者共事無澗神繫獄。卞太后遣黃門詣府傳令，芝不通，輒敕洛陽獄考竟，而上疏曰：『諸應死罪者，皆當先表須報。前制書禁絕淫祀以正風俗，今當等所犯妖刑，辭語始定，黃門吳達詣臣，傳太皇太后令。臣不敢通，懼有救護，速聞聖聽，若不得已，以垂宿留。由事不早竟，是臣之罪，是以冒犯常科，輒敕縣考竟，擅行刑戮，伏須誅罰。』帝手報曰：『省表，明卿至心，欲奉詔書，以權行事，是也。此乃卿奉詔之意，何謝之有？後黃門復往，慎勿通也。』芝居官十一年，數議科條所不便者。其在公卿間，直道而行。會諸王來朝，與京都人交通，坐免。

後爲大司農。先是諸典農各部吏民，末作治生，以要利入。芝奏曰：『王者之治，崇本抑末，務農重穀。《王制》：「無三年之儲，國非其國也。」《管子·區言》以積穀爲急。方今二虜未滅，師旅不息，國家之要，惟在穀帛。武皇帝特開屯田之官，專以農桑爲業。建安中，天下倉廩充實，百姓殷足。自黃初以來，聽諸典農治生，各爲部下之計，誠非國家大體所宜也。夫王者以海內爲家，故《傳》曰：「百姓不足，君誰與足！」富足之由，在於不失天時而盡地力。今商旅所求，雖有加倍之顯利，然於一統之計，已有不貲之損，不如墾田益一畝之收也。夫農民之事田，自正月耕種，耘鋤條桑，耕熯種麥，穫刈築場，十月乃畢。治廩繫橋，運輸租賦，除道理梁，墐塗室屋，以是終歲，無日不爲農事

也。今諸典農，各言「留者爲行者宗田計，課其力，勢不得不爾。不有所廢，則當素有餘力」。臣愚以爲不宜復以商事雜亂，專以農桑爲務，於國計爲便。」明帝從之。

每上官有所召問，常先見掾史，爲斷其意故，教其所以答塞之狀，皆如所度。芝性亮直，不矜廉隅。與賓客談論，有不可意，便面折其短，退無異言。卒於官，家無餘財，自魏迄今爲河南尹者莫及芝。

芝亡，子岐嗣，從河南丞轉廷尉正，遷陳留相。梁郡有繫囚，多所連及，數歲不决。詔書徙獄于岐屬縣，縣請豫治牢具。岐曰：「今囚有數十，既巧詐難符，且已倦楚毒，其情易見。豈當復久處囹圄邪！」及囚室，詰之，皆莫敢匿詐，一朝決竟，遂超爲廷尉。是時大將軍爽專權，尚書何晏、鄧颺等爲之輔翼。南陽圭泰嘗以言迕指，考繫廷尉。颺訊獄，將致泰重刑。岐數颺曰：「夫樞機大臣，王室之佐，既不能輔化成德，齊美古人，而乃肆其私忿，枉論無辜。使百姓危心，非此焉在？」颺於是慚怒而退。岐終恐久獲罪，以疾去官。居家未期而卒，年三十五。子肇嗣。

評曰：徐奕、何夔、邢顒貴尚峻厲，爲世名人。毛玠清公素履，司馬芝忠亮不傾，庶乎不吐剛茹柔。崔琰高格最優，鮑勛秉正無虧，而皆不免其身，惜哉！《大雅》貴『既明且哲』，《虞書》尚『直而能溫』，自非兼才，疇克備諸！

三國志

魏書　崔毛徐何邢鮑司馬傳第十二

三國志卷十三

魏書十三

鍾繇華歆王朗傳第十三

鍾繇字元常，潁川長社人也。嘗與族父瑜俱至洛陽，道遇相者，曰：『此童有貴相，然當厄於水，努力慎之！』行未十里，度橋，馬驚，墮水幾死。瑜以相者言中，益貴繇，而供給資費，使得專學。舉孝廉，除尚書郎、陽陵令，以疾去。辟三府，爲廷尉正、黃門侍郎。是時，漢帝在西京，李傕、郭汜等亂長安中，與關東斷絶。太祖領兗州牧，始遣使上書。傕、汜等以爲『關東欲自立天子，今曹操雖有使命，非其至實』，議留太祖使，拒絶其意。繇説傕、汜等曰：『方今英雄並起，各矯命專制，唯曹兗州乃心王室，而逆其忠款，非所以副將來之望也。』傕、汜等用繇言，厚加答報，由是太祖使命遂得通。太祖既數聽荀彧之稱繇，又聞其説傕、汜，益虚心。後傕脅天子，繇與尚書郎韓斌同策謀。天子得出長安，繇有力焉。拜御史中丞，遷侍中尚書僕射，并録前功封東武亭侯。

時關中諸將馬騰、韓遂等，各擁强兵相與争。太祖方有事山東，以關右爲憂。乃表繇以侍中守司隸校尉，持節督關中諸軍，委之以後事，特使不拘科制。繇至長安，移書騰、遂等，爲陳禍福，騰、遂各遣子入侍。太祖在官渡，與袁紹相持，繇送馬二千餘匹給軍。太祖與繇書曰：『得所送馬，甚應其急。關右平定，朝廷無西顧之憂，足下之勳也。昔蕭何鎮守關中，足食成軍，亦適當爾。』其後匈奴單于作亂平陽，繇帥諸軍圍之，未拔；而袁尚所置河東太守郭援到河東，衆甚盛。諸將議欲釋之去，繇曰：『袁氏方强，援之來，關中陰與之通，所以未悉叛者，顧吾威名故耳。若棄而去，示之以弱，所在之民，誰非寇讎？縱吾欲歸，其得至乎！此爲未戰先自敗也。且援剛愎好勝，必易吾軍，若渡汾爲營，及其未濟擊之，可大克也。』張既説馬騰會擊援，騰遣子超將精兵逆之。援至，果輕渡汾，衆止之，不從。濟水未半，擊，大破之，斬援，降單于。語在《既傳》。其後河東衛固作亂，與張晟、張琰及高幹等並爲寇，繇又率諸將討破之。自天子西遷，洛陽人民單盡，繇徙關中民，又招納亡叛以充之，數年間民户稍實。太祖征關中，得以爲資，表繇爲前軍師。

魏國初建，爲大理，遷相國。文帝在東宫，賜繇五熟釜，爲之銘曰：『於赫有魏，作漢藩輔。厥相惟鍾，實幹心膂。靖恭夙夜，匪遑安處。百寮師師，楷兹度矩。』數年，坐西曹掾魏諷謀反，策罷就第。文帝即王位，復爲大理。及踐阼，改爲廷尉，進封崇高鄉侯。遷太尉，轉封平陽鄉侯。時司徒華歆、司空王朗，並先世名臣。文帝罷朝，謂左右曰：『此三公者，乃一代之偉人也，後世殆難繼矣！』明帝即位，進封定陵侯，增邑五百，并前千八百户，遷太傅。繇有膝疾，拜起不便。時華歆亦以高年疾病，朝見皆使載輿車，虎賁舁上殿就坐。是後三公有疾，遂以爲故事。

初，太祖下令，使平議死刑可宫割者。繇以爲『古之肉刑，更歷聖人，宜復施行，以代死刑。』議者以爲非悦民之道，遂寢。及文帝臨饗群臣，詔謂『大理欲復肉刑，此誠聖王之法。公卿當善共議。』議未定，會有軍事，復寢。太和中，繇上疏曰：『大魏受命，繼蹤虞、夏。孝文革法，不合古道。先帝聖德，固天所縱，墳典之業，一以貫之。是以繼世，仍發明詔，思復古刑，爲一代法。連有軍事，遂未

施行。陛下遠追二祖遺意，惜斬趾可以禁惡，恨入死之無辜，使明習律令，與群臣共議。出本當右趾而入大辟者，復行此刑。《書》云：「皇帝清問下民，鰥寡有辭于苗。」此言堯當除蚩尤、有苗之刑，先審問於下民之有辭者也。若今蔽獄之時，訊問三槐、九棘、群吏、萬民，使如孝景之令，其當棄市，欲斬右趾者許之。其黥、劓、左趾、宫刑者，自如孝文，易以髡、笞。能有奸者，率年二十至四五十，雖斬其足，猶任生育。今天下人少于孝文之世，下計所全，歲三千人。張蒼除肉刑，所殺歲以萬計。臣欲復肉刑，歲生三千人。子貢問能濟民可謂仁乎？子曰：「何事於仁，必也聖乎，堯、舜其猶病諸！」又曰：「仁遠乎哉？我欲仁，斯仁至矣。」若誠行之，斯民永濟。』書奏，詔曰：『太傅學優才高，留心政事，又於刑理深遠。此大事，公卿群僚善共平議。』司徒王朗議，以爲『繇欲輕減大辟之條，以增益刖刑之數，此即起偃爲豎，化屍爲人矣。然臣之愚，猶有未合微異之意。夫五刑之屬，著在科律，自有減死一等之法，不死即爲減。施行已久，不待遠假斧鑿于彼肉刑，然後有罪次也。前世仁者，不忍肉刑之慘酷，是以廢而不用。不用已來，歷年數百。今復行之，恐所減之文未彰于萬民之目，而肉刑之問已宣于寇讎之耳，非所以來遠人也。今可按繇所欲輕之死罪，使減死之髡、刖。嫌其輕者，可倍其居作之歲數。內有以生易死不訾之恩，外無以刖易釱駭耳之聲。』議者百餘人，與朗同者多。帝以吳、蜀未平，且寢。

太和四年，繇薨。帝素服臨吊，謚曰成侯。子毓嗣。初，文帝分毓户邑，封繇弟演及子劭、孫豫列侯。

毓字稚叔。年十四爲散騎侍郎，機捷談笑，有父風。太和初，蜀相諸葛亮圍祁山，明帝欲親西征，毓上疏曰：『夫策貴廟勝，功尚帷幄，不下殿堂之上，而決勝千里之外。車駕宜鎮守中土，以爲四方威勢之援。今大軍西征，雖有百倍之威，於關中之費，所損非一。且盛暑行師，詩人所重，實非至尊動軔之時也。』遷黄門侍郎。時大興洛陽宫室，車駕便幸許昌，天下當朝正許昌。許昌偪狹，於城南以氈爲殿，備設魚龍曼延，民罷勞役。毓諫，以爲『水旱不時，帑藏空虛，凡此之類，可須豐年』。又上『宜復關內開荒地，使民肆力於農』。事遂施行。正始中，爲散騎常侍。大將軍曹爽盛夏興軍伐蜀，蜀拒守，軍不得進。爽方欲增兵，毓與書曰：『竊以爲廟勝之策，不臨矢石；王者之兵，有征無戰。誠以干戚可以服有苗，退舍足以納原寇，不必縱吳漢于江關，騁韓信於井陘也。見可而進，知難而退，蓋自古之政。惟公侯詳之！』爽無功而還。後以失爽意，徙侍中，出爲魏郡太守。爽既誅，入爲御史中丞、侍中廷尉。聽君父已没，臣子得爲理謗，及士爲侯，其妻不復配嫁，毓所創也。

正元中，毌丘儉、文欽反，毓持節至揚、豫州班行赦令，告諭士民，還爲尚書。諸葛誕反，大將軍司馬文王議自詣壽春討誕。會吳大將孫壹率衆降，或以爲『吳新有釁，必不能復出軍。東兵已多，可須後問』。毓以爲『夫論事料敵，當以己度人。今誕舉淮南之地以與吳國，孫壹所率，口不至千，兵不過三百。吳之所失，蓋爲無幾。若壽春之圍未解，而吳國之內轉安，未可必其不出也。』大將軍曰：『善。』遂將毓行。淮南既平，爲青州刺史，加後將軍，遷都督徐州諸軍事，假節，又轉都督荊州。景元四年薨，追贈車騎將軍，謚曰惠侯。子駿嗣。毓弟會，自有傳。

華歆字子魚，平原高唐人也。高唐爲齊名都，衣冠無不游行市里。歆爲吏，休沐出府，則歸家闔門。議論持平，終不毀傷人。同郡陶丘洪亦知名，自以明見過歆。時王芬與豪傑謀廢靈帝。語在《武紀》。芬陰呼歆、洪共定計，洪欲行，歆止之曰：『夫廢立大事，伊、霍之所難。芬性疏而不武，此必無成，而禍將及族。子其無往！』洪從歆言而止。後芬果敗，洪乃服。舉孝廉，除郎中，病，去官。靈帝崩，何進輔政，徵河南鄭泰、潁川荀攸及歆等。歆到，爲尚書郎。董卓遷天子長安，歆求出爲下邽令，病不行，遂從藍田至南陽。時袁術在穰，留歆。歆說術使進軍討卓，術不能用。歆欲棄去，會天子使太傅馬日磾安集關東，日磾辟歆爲掾。東至徐州，詔即拜歆豫章太守，以爲政清静不煩，吏民感而愛之。孫策略地江東，歆知策善用兵，乃幅巾奉迎。策以其長者，待以上賓之禮。後策死。太祖在官渡，表天子徵歆。孫權欲不遣，歆謂權曰：『將軍奉王命，始交好曹公，分義未固，使僕得爲將軍效心，豈不有益乎？今空留僕，是爲養無用之物，非將軍之良計也。』權悦，乃遣歆。賓客舊人送之者千餘人，贈遺數百金。歆皆無所拒，密各題識，至臨去，悉聚諸物，謂諸賓客曰：『本無拒諸君之心，而所受遂多。念單車遠行，將以懷璧爲罪，願賓客爲之計。』衆乃各留所贈，而服其德。

歆至，拜議郎，參司空軍事，入爲尚書，轉侍中，代荀彧爲尚書令。太祖征孫權，表歆爲軍師。魏國既建，爲御史大夫。文帝即王位，拜相國，封安樂鄉侯。及踐阼，改爲司徒。歆素清貧，禄賜以振施親戚故人，家無擔石之儲。公卿嘗並賜没入生口，唯歆出而嫁之。帝歎息，下詔曰：『司徒，國之儁老，所與和陰陽理庶事也。今大官重膳，而司徒蔬食，甚無謂也。』特賜御衣，及爲其妻子男女皆作衣服。三府議：『舉孝廉，本以德行，不復限以試經。』歆以爲『喪亂以來，六籍墮廢，當務存立，以崇王道。夫制法者，所以經盛衰。今聽孝廉不以經試，恐學業遂從此而廢。若有秀異，可特徵用。患於無其人，何患不得哉？』帝從其言。

黄初中，詔公卿舉獨行君子，歆舉管寧，帝以安車徵之。明帝即位，進封博平侯，增邑五百户，并前千三百户，轉拜太尉。歆稱病乞退，讓位於寧。帝不許。臨當大會，乃遣散騎常侍繆襲奉詔喻指曰：『朕新莅庶事，一日萬幾，懼聽斷之不明。賴有德之臣，左右朕躬，而君屢以疾辭位。夫量主擇君，不居其朝，委榮棄禄，不究其位，古人固有之矣，顧以爲周公、伊尹則不然。絜身徇節，常人爲之，不望之於君。君其力疾就會，以惠予一人。將立席几筵，命百官總己，以須君到，朕然後御坐。』又詔襲：『須歆必起，乃還。』歆不得已，乃起。

太和中，遣曹真從子午道伐蜀，車駕東幸許昌。歆上疏曰：『兵亂以來，過逾二紀。大魏承天受命，陛下以聖德當成康之隆，宜弘一代之治，紹三王之迹。雖有二賊負險延命，苟聖化日躋，遠人懷德，將襁負而至。夫兵不得已而用之，故戢而時動。臣誠願陛下先留心於治道，以征伐爲後事。且千里運糧，非用兵之利；越險深入，無獨克之功。如聞今年徵役，頗失農桑之業。爲國者以民爲基，民以衣食爲本。使中國無饑寒之患，百姓無離土之心，則天下幸甚，二賊之釁，可坐而待也。臣備位宰相，老病日篤，犬馬之命將盡，恐不復奉望鑾蓋，不敢不竭臣子之懷，唯陛下裁察！』帝報曰：『君深慮國計，朕甚嘉之。賊憑恃山川，二祖勞於前世，猶不克平，朕豈敢自多，謂必滅之哉！

諸將以爲不一探取，無由自弊，是以觀兵以闚其釁。若天時未至，周武還師，乃前事之鑒，朕敬不忘所戒。』時秋大雨，詔真引軍還。太和五年，歆薨，謚曰敬侯。子表嗣。初，文帝分歆户邑，封歆弟緝列侯。表，咸熙中爲尚書。

王朗字景興，東海郯人也。以通經，拜郎中，除菑丘長。師太尉楊賜，賜薨，棄官行服。舉孝廉，辟公府，不應。徐州刺史陶謙察朗茂才。時漢帝在長安，關東兵起，朗爲謙治中，與别駕趙昱等説謙曰：『《春秋》之義，求諸侯莫如勤王。今天子越在西京，宜遣使奉承王命。』謙乃遣昱奉章至長安。天子嘉其意，拜謙安東將軍。以昱爲廣陵太守，朗會稽太守。孫策渡江略地。朗功曹虞翻以爲力不能拒，不如避之。朗自以身爲漢吏，宜保城邑，遂舉兵與策戰，敗績，浮海至東冶。策又追擊，大破之。朗乃詣策。策以朗儒雅，詰讓而不害。雖流移窮困，朝不謀夕，而收恤親舊，分多割少，行義甚著。

太祖表徵之，朗自曲阿展轉江海，積年乃至。拜諫議大夫，參司空軍事。魏國初建，以軍祭酒領魏郡太守，遷少府、奉常、大理。務在寬恕，罪疑從輕。鍾繇明察當法，俱以治獄見稱。

文帝即王位，遷御史大夫，封安陵亭侯。上疏勸育民省刑曰：『兵起已來三十餘年，四海蕩覆，萬國殄瘁。賴先王芟除寇賊，扶育孤弱，遂令華夏復有綱紀。鳩集兆民，于兹魏土，使封鄙之内，鷄鳴狗吠，達於四境，蒸庶欣欣，喜遇升平。今遠方之寇未賓，兵戎之役未息，誠令復除足以懷遠人，良宰足以宣德澤，阡陌咸修，四民殷熾，必復過於曩時而富於平日矣。《易》稱敕法，《書》著祥刑，

一人有慶，兆民賴之，慎法獄之謂也。昔曹相國以獄市爲寄，路温舒疾治獄之吏。夫治獄者得其情，則無冤死之囚；丁壯者得盡地力，則無饑饉之民；窮老者得仰食倉廩，則無餧餓之殍；嫁娶以時，則男女無怨曠之恨；胎養必全，則孕者無自傷之哀；新生必復，則孩者無不育之累；壯而後役，則幼者無離家之思；二毛不戎，則老者無頓伏之患。醫藥以療其疾，寬繇以樂其業，威罰以抑其强，恩仁以濟其弱，賑貸以贍其乏。十年之後，既笄者必盈巷。二十年之後，勝兵者必滿野矣。』

及文帝踐阼，改爲司空，進封樂平鄉侯。時帝頗出游獵，或昏夜還宫。朗上疏曰：『夫帝王之居，外則飾周衛，内則重禁門，將行則設兵而後出幄，稱警而後踐墀，張弧而後登輿，清道而後奉引，遮列而後轉轂，静室而後息駕，皆所以顯至尊，務戒慎，垂法教也。近日車駕出臨捕虎，日昃而行，及昏而反，違警蹕之常法，非萬乘之至慎也。』帝報曰：『覽表，雖魏絳稱虞箴以諷晉悼，相如陳猛獸以戒漢武，未足以喻。方今二寇未殄，將帥遠征，故時入原野以習戎備。至於夜還之戒，已詔有司施行。』

初，建安末，孫權始遣使稱藩，而與劉備交兵。詔議『當興師與吴并取蜀不』？朗議曰：『天子之軍，重於華、岱，誠宜坐曜天威，不動若山。假使權親與蜀賊相持，搏戰曠日，智均力敵，兵不速決，當須軍興以成其勢者，然後宜選持重之將，承寇賊之要，相時而後動，擇地而後行，一舉更無餘事。今權之師未動，則助吴之軍無爲先征。且雨水方盛，非行軍動衆之時。』帝納其計。黄初中，鵜鶘集靈芝池，詔公卿舉獨行君子。朗薦光禄大夫楊彪，且稱疾，讓位於彪。帝乃爲彪置吏卒，位次三

公。詔曰：『朕求賢於君而未得，君乃翻然稱疾，非徒不得賢，更開失賢之路，增玉鉉之傾。無乃居其室出其言不善，見違於君子乎！君其勿有後辭。』朗乃起。

孫權欲遣子登入侍，不至。是時車駕徙許昌，大興屯田，欲舉軍東征。朗上疏曰：『昔南越守善，嬰齊入侍，遂爲冢嗣，還君其國。康居驕黠，情不副辭，都護奏議以爲宜遣侍子，以黜無禮。且吳濞之禍，萌於子入，隗囂之叛，亦不顧子。往者聞權有遣子之言而未至，今六軍戒嚴，臣恐輿人未暢聖旨，當謂國家愠於登之逋留，是以爲之興師。設師行而登乃至，則爲所動者至大，所致者至細，猶未足以爲慶。設其傲狠，殊無入志，懼彼輿論之未暢者，並懷伊邑。臣愚以爲宜敕別征諸將，各明奉禁令，以慎守所部。外曜烈威，內廣耕稼，使泊然若山，澹然若淵，勢不可動，計不可測。』是時，帝以成軍遂行，權子不至，車駕臨江而還。

明帝即位，進封蘭陵侯，增邑五百，并前千二百户。使至鄴省文昭皇后陵，見百姓或有不足。是時方營修宫室，朗上疏曰：『陛下即位已來，恩詔屢布，百姓萬民莫不欣欣。臣頃奉使北行，往反道路，聞衆徭役，其可得蠲除省減者甚多。願陛下重留日昃之聽，以計制寇。昔大禹將欲拯天下之大患，故乃先卑其宫室，儉其衣食，用能盡有九州，弼成五服。句踐欲廣其禦兒之疆，馘夫差於姑蘇，故亦約其身以及家，儉其家以施國，用能囊括五湖，席卷三江，取威中國，定霸華夏。漢之文、景亦欲恢弘祖業，增崇洪緒，故能割意於百金之臺，昭儉於弋綈之服，內減太官而不受貢獻，外省徭賦而務農桑，用能號稱升平，幾致刑錯。孝武之所以能奮其軍勢，拓其外境，誠因祖考畜積素足，故能遂成大功。霍去病，中才之將，猶以匈奴未滅，不治第宅。明恤遠者略近，事外者簡內。自漢之初及其中興，皆於金革略寢之後，然後鳳闕猥閌，德陽並起。今當建始之前足用列朝會，崇華之後足用序內官，華林、天淵足用展游宴，若且先成閶闔之象魏，使足用列遠人之朝貢者，脩城池，使足用絕逾越，成國險，其餘一切，且須豐年。一以勤耕農爲務，習戎備爲事，則國無怨曠，户口滋息，民充兵强，而寇戎不賓，緝熙不足，未之有也。』轉爲司徒。

時屢失皇子，而後宫就館者少，朗上疏曰：『昔周文十五而有武王，遂享十子之祚，以廣諸姬之胤。武王既老而生成王，成王是以鮮於兄弟。此二王者，各樹聖德，無以相過，比其子孫之祚，則不相如。蓋生育有早晚，所産有衆寡也。陛下既德祚兼彼二聖，春秋高於姬文育武之時矣，而子發未舉於椒蘭之奥房，藩王未繁於掖庭之衆室。以成王爲喻，雖未爲晚，取譬伯邑，則不爲夙。《周禮》六宫内官百二十人，而諸經常説，咸以十二爲限，至於秦漢之末，或以千百爲數矣。然雖彌猥，而就時於吉館者或甚鮮，明「百斯男」之本，誠在於一意，不但在於務廣也。老臣慺慺，願國家同祚於軒轅之五五，而未及周文之二五，用爲伊邑。且少小常苦被褥泰温，泰温則不能便柔膚弱體，是以難可防護，而易用感慨。若常令少小之緼袍，不至於甚厚，則必咸保金石之性，而比壽於南山矣。』帝報曰：『夫忠至者辭篤，愛重者言深。君既勞思慮，又手筆將順，三復德音，欣然無量。朕繼嗣未立，以爲君憂，欽納至言，思聞良規。』朗著《易》、《春秋》、《孝經》、《周官》傳，奏議論記，咸傳於世。太和二年薨，謚曰成侯。子肅嗣。初，文帝分朗户邑，封一子列侯，朗乞封兄子詳。

肅字子雍。年十八，從宋忠讀《太玄》，而更爲之解。黄初中，爲散騎黄門侍郎。太和三年，拜散騎常侍。四年，大司馬曹真征蜀，肅上疏曰：『前志有之，「千里饋糧，士有飢色，樵蘇後爨，師不宿飽」，此謂平塗之行軍者也。又況於深入阻險，鑿路而前，則其爲勞必相百也。今又加之以霖雨，山坂峻滑，衆逼而不展，糧縣而難繼，實行軍者之大忌也。聞曹真發已逾月而行裁半谷，治道功夫，戰士悉作。是賊偏得以逸而待勞，乃兵家之所憚也。言之前代，則武王伐紂，出關而復還；論之近事，則武、文征權，臨江而不濟。豈非所謂順天知時，通於權變者哉！兆民知聖上以水雨艱劇之故，休而息之，後日有釁，乘而用之，則所謂悦以犯難，民忘其死者矣。』於是遂罷。又上疏：『宜遵舊禮，爲大臣發哀，薦果宗廟。』事皆施行。又上疏陳政本曰：『除無事之位，損不急之禄，止浮食之費，并從容之官；使官必有職，職任其事，事必受禄，禄代其耕，乃往古之常式，當今之所宜也。官寡而禄厚，則公家之費鮮，進仕之志勸。各展才力，莫相倚仗。敷奏以言，明試以功，能之與否，簡在帝心。是以唐、虞之設官分職，申命公卿，各以其事，然後惟龍爲納言，猶今尚書也，以出内帝命而已。夏、殷不可得而詳。《甘誓》曰「六事之人」，明六卿亦典事者也。《周官》則備矣，五日視朝，公卿大夫並進，而司士辨其位焉。其《記》曰：「坐而論道，謂之王公；作而行之，謂之士大夫。」及漢之初，依擬前代，公卿皆親以事升朝。故高祖躬追反走之周昌，武帝遥可奉奏之汲黯，宣帝使公卿五日一朝，成帝始置尚書五人。自是陵遲，朝禮遂闕。可復五日視朝之儀，使公卿尚書各以事進。廢禮復興，光宣聖緒，誠所謂名美而實厚者也。』

青龍中，山陽公薨，漢主也。肅上疏曰：『昔唐禪虞，虞禪夏，皆終三年之喪，然後踐天子之尊。是以帝號無虧，君禮猶存。今山陽公承順天命，允答民望，進禪大魏，退處賓位。公之奉魏，不敢不盡節。魏之待公，優崇而不臣。既至其薨，櫬斂之制，輿徒之飾，皆同之於王者，是故遠近歸仁，以爲盛美。且漢總帝皇之號，號曰皇帝。有别稱帝，無别稱皇，則皇是其差輕者也。故當高祖之時，土無二王，其父見在而使稱皇，明非二王之嫌也。況今以贈終，可使稱皇以配其謚。』明帝不從使稱皇，乃追謚曰漢孝獻皇帝。

後肅以常侍領秘書監，兼崇文觀祭酒。景初間，宫室盛興，民失農業，期信不敦，刑殺倉卒。肅上疏曰：『大魏承百王之極，生民無幾，干戈未戢，誠宜息民而惠之以安静遐邇之時也。夫務畜積而息疲民，在於省徭役而勤稼穡。今宫室未就，功業未訖，運漕調發，轉相供奉。是以丁夫疲於力作，農者離其南畝，種穀者寡，食穀者衆，舊穀既没，新穀莫繼。斯則有國之大患，而非備豫之長策也。今見作者三四萬人，九龍可以安聖體，其内足以列六宫，顯陽之殿，又向將畢，惟泰極已前，功夫尚大，方向盛寒，疾疢或作。誠願陛下發德音，下明詔，深愍役夫之疲勞，厚矜兆民之不贍，取常食廪之士，非急要者之用，選其丁壯，擇留萬人，使一期而更之，咸知息代有日，則莫不悦以即事，勞而不怨矣。計一歲有三百六十萬夫，亦不爲少。當一歲成者，聽且三年。分遣其余，使皆即農，無窮之計也。倉有溢粟，民有餘力：以此興功，何功不立？以此行化，何化不成？夫信之於民，國家大寶也。仲尼曰：「自古皆有死，民非信不立。」夫區區之晋國，微微之重耳，欲用其民，先示以信，

是故原雖將降，顧信而歸，用能一戰而霸，于今見稱。前車駕當幸洛陽，發民爲營，有司命以營成而罷。既成，又利其功力，不以時遣。有司徒營其目前之利，不顧經國之體。臣愚以爲自今以後，儻復使民，宜明其令，使必如期。若有事以次，寧復更發，無或失信。凡陛下臨時之所行刑，皆有罪之吏，宜死之人也。然衆庶不知，謂爲倉卒。故願陛下下之於吏而暴其罪。鈞其死也，無使污于宮掖而爲遠近所疑。且人命至重，難生易殺，氣絶而不續者也，是以聖賢重之。孟軻稱殺一無辜以取天下，仁者不爲也。漢時有犯蹕驚乘輿馬者，廷尉張釋之奏使罰金，文帝怪其輕，而釋之曰：「方其時，上使誅之則已。今下廷尉。廷尉，天下之平也，一傾之，天下用法皆爲輕重，民安所措其手足？」臣以爲大失其義，非忠臣所宜陳也。廷尉者，天子之吏也，猶不可以失平，而天子之身，反可以惑謬乎？斯重於爲己，而輕於爲君，不忠之甚也。周公曰：「天子無戲言，言則史書之，工誦之，士稱之。」言猶不戲，而況行之乎？故釋之之言不可不察，周公之戒不可不法也。』又陳『諸鳥獸無用之物，而有芻穀人徒之費，皆可蠲除。』

帝嘗問曰：『漢桓帝時，白馬令李雲上書言：「帝者，諦也。是帝欲不諦。」當何得不死？』肅對曰：『但爲言失逆順之節。原其本意，皆欲盡心，念存補國。且帝者之威，過於雷霆，殺一匹夫，無異螻蟻。寬而宥之，可以示容受切言，廣德宇於天下。故臣以爲殺之未必爲是也。』帝又問：『司馬遷以受刑之故，内懷隱切，著《史記》非貶孝武，令人切齒。』對曰：『司馬遷記事，不虛美，不隱惡。劉向、揚雄服其善叙事，有良史之才，謂之實録。漢武帝聞其述《史記》，取孝景及己本紀覽之，於是大怒，削而投之。於今此兩紀有録無書。後遭李陵事，遂下蠶室。此爲隱切在孝武，而不在於史遷也。』

正始元年，出爲廣平太守。公事徵還，拜議郎。頃之，爲侍中，遷太常。時大將軍曹爽專權，任用何晏、鄧颺等。肅與太尉蔣濟、司農桓範論及時政，肅正色曰：『此輩即弘恭、石顯之屬，復稱説邪！』爽聞之，戒何晏等曰：『當共慎之！公卿已比諸君前世惡人矣。』坐宗廟事免。後爲光禄勳。時有二魚長尺，集于武庫之屋，有司以爲吉祥。肅曰：『魚生於淵而亢於屋，介鱗之物失其所也。邊將其殆有棄甲之變乎？』其後果有東關之敗。徙爲河南尹。嘉平六年，持節兼太常，奉法駕，迎高貴鄉公于元城。是歲，白氣經天，大將軍司馬景王問肅其故，肅答曰：『此蚩尤之旗也，東南其有亂乎？君若脩己以安百姓，則天下樂安者歸德，唱亂者先亡矣。』明年春，鎮東將軍毌丘儉、揚州刺史文欽反，景王謂肅曰：『霍光感夏侯勝之言，始重儒學之士，良有以也。安國寧主，其術焉在？』肅曰：『昔關羽率荆州之衆，降于禁於漢濱，遂有北向爭天下之志。後孫權襲取其將士家屬，羽士衆一旦瓦解。今淮南將士父母妻子皆在内州，但急往禦衛，使不得前，必有關羽土崩之勢矣。』景王從之，遂破儉、欽。後遷中領軍，加散騎常侍，增邑三百，并前二千二百户。甘露元年薨，門生縗經者以百數。追贈衛將軍，謚曰景侯。子惲嗣。惲薨，無子，國絶。景元四年，封肅子恂爲蘭陵侯。咸熙中，開建五等，以肅著勳前朝，改封恂爲丞子。

初，肅善賈、馬之學，而不好鄭氏，采會同異，爲《尚書》、《詩》、《論語》、《三禮》、《左氏》解，及撰

定父朗所作《易傳》，皆列於學官。其所論駁朝廷典制、郊祀、宗廟、喪紀、輕重，凡百餘篇。時樂安孫叔然，受學鄭玄之門，人稱東州大儒。徵爲祕書監，不就。肅集《聖證論》以譏短玄，叔然駁而釋之，及作《周易》、《春秋例》，《毛詩》、《禮記》、《春秋三傳》、《國語》、《爾雅》諸注，又注書十餘篇。自魏初徵士燉煌周生烈，明帝時大司農弘農董遇等，亦歷注經傳，頗傳於世。

評曰：鍾繇開達理幹，華歆清純德素，王朗文博富贍，誠皆一時之俊偉也。魏氏初祚，肇登三司，盛矣夫！王肅亮直多聞，能析薪哉！

三國志卷十四

魏書十四

程郭董劉蔣劉傳第十四

程昱字仲德，東郡東阿人也。長八尺三寸，美鬚髯。黃巾起，縣丞王度反應之，燒倉庫。縣令逾城走，吏民負老幼東奔渠丘山。昱使人偵視度，度等得空城不能守，出城西五六里止屯。昱謂縣中大姓薛房等曰：「今度等得城郭不能居，其勢可知。此不過欲虜掠財物，非有堅甲利兵攻守之志也。今何不相率還城而守之？且城高厚，多穀米，今若還求令，共堅守，度必不能久，攻可破也。」房等以為然。吏民不肯從，曰：「賊在西，但有東耳。」昱謂房等：「愚民不可計事。」乃密遣數騎舉幡于東山上，令房等望見，大呼言「賊已至」，便下山趣城，吏民奔走隨之，求得縣令，遂共城守。度等來攻城，不能下，欲去。昱率吏民開城門急擊之，度等破走。東阿由此得全。

初平中，兗州刺史劉岱辟昱，昱不應。是時岱與袁紹、公孫瓚和親，紹令妻子居岱所，瓚亦遣從事范方將騎助岱。後紹與瓚有隙。瓚擊破紹軍，乃遣使語岱，令遣紹妻子，使與紹絕。別敕范方：「若岱不遣紹家，將騎還。吾定紹，將加兵于岱。」岱議連日不決，別駕王彧白岱：「程昱有謀，能斷大事。」岱乃召見昱，問計，昱曰：「若棄紹近援而求瓚遠助，此假人於越以救溺子之說也。夫公孫瓚，非袁紹之敵也。今雖壞紹軍，然終為紹所禽。夫趣一朝之權而不慮遠計，將軍終敗。」岱從之。范方將其騎歸，未至，瓚大為紹所破。岱表昱為騎都尉，昱辭以疾。

劉岱為黃巾所殺。太祖臨兗州，辟昱。昱將行，其鄉人謂曰：「何前後之相背也！」昱笑而不應。太祖與語，說之，以昱守壽張令。太祖征徐州，使昱與荀彧留守鄄城。張邈等叛迎呂布，郡縣響應，唯鄄城、范、東阿不動。布軍降者，言陳宮欲自將兵取東阿，又使氾嶷取范，吏民皆恐。彧謂昱曰：「今兗州反，唯有此三城。宮等以重兵臨之，非有以深結其心，三城必動。君，民之望也，歸而說之，殆可！」昱乃歸，過范，說其令靳允曰：「聞呂布執君母弟妻子，孝子誠不可為心！今天下大亂，英雄並起，必有命世，能息天下之亂者，此智者所詳擇也。得主者昌，失主者亡。陳宮叛迎呂布而百城皆應，似能有為，然以君觀之，布何如人哉！夫布，粗中少親，剛而無禮，匹夫之雄耳。宮等以勢假合，不能相君也。兵雖眾，終必無成。曹使君智略不世出，殆天所授！君必固范，我守東阿，則田單之功可立也。孰與違忠從惡而母子俱亡乎？唯君詳慮之！」允流涕曰：「不敢有二心。」時氾嶷已在縣，允乃見嶷，伏兵刺殺之，歸勒兵守。昱又遣別騎絕倉亭津，陳宮至，不得渡。昱至東阿，東阿令棗祗已率厲吏民，拒城堅守。又兗州從事薛悌與昱協謀，卒完三城，以待太祖。太祖還，執昱手曰：「微子之力，吾無所歸矣。」乃表昱為東平相，屯范。

太祖與呂布戰於濮陽，數不利。蝗蟲起，乃各引去。於是袁紹使人說太祖連和，欲使太祖遷家居鄴。太祖新失兗州，軍食盡，將許之。時昱使適還，引見，因言曰：「竊聞將軍欲遣家，與袁紹連和，誠有之乎？」太祖曰：「然。」昱曰：「意者將軍殆臨事而懼，不然何慮之不深也！夫袁紹據燕、趙之地，有并天下之心，而智不能濟也。將軍自度能為之下乎？將軍以龍虎之威，可為之韓、彭之事邪？今兗州雖殘，尚有三城。能戰之士，不下萬人。以將軍之神武，與文若、昱等，收而用之，霸王之業可成也。願將軍更慮之！』太祖乃止。

天子都許，以昱爲尚書。兗州尚未安集，復以昱爲東中郎將，領濟陰太守，都督兗州事。劉備失徐州，來歸太祖。昱説太祖殺備，太祖不聽。語在《武紀》。後又遣備至徐州要擊袁術，昱與郭嘉説太祖曰：『公前日不圖備，昱等誠不及也。今借之以兵，必有異心。』太祖悔，追之不及。會術病死，備至徐州，遂殺車冑，舉兵背太祖。頃之，昱遷振威將軍。袁紹在黎陽，將南渡。時昱有七百兵守鄄城，太祖聞之，使人告昱，欲益二千兵。昱不肯，曰：『袁紹擁十萬衆，自以所向無前。今見昱兵少，必輕易不來攻。若益昱兵，過則不可不攻，攻之必克，徒兩損其勢。願公無疑！』太祖從之。紹聞昱兵少，果不往。太祖謂賈詡曰：『程昱之膽，過于賁、育。』昱收山澤亡命，得精兵數千人，乃引軍與太祖會黎陽，討袁譚、袁尚。譚、尚破走，拜昱奮武將軍，封安國亭侯。太祖征荆州，劉備奔吴。論者以爲孫權必殺備，昱料之曰：『孫權新在位，未爲海内所憚。曹公無敵於天下，初舉荆州，威震江表，權雖有謀，不能獨當也。劉備有英名，關羽、張飛皆萬人敵也，權必資之以禦我。難解勢分，備資以成，又不可得而殺也。』權果多與備兵，以禦太祖。是後中夏漸平，太祖拊昱背曰：『兗州之敗，不用君言，吾何以至此？』宗人奉牛酒大會，昱曰：『知足不辱，吾可以退矣。』乃自表歸兵，闔門不出。

昱性剛戾，與人多迕。人有告昱謀反，太祖賜待益厚。魏國既建，爲衛尉，與中尉邢貞争威儀，免。文帝踐阼，復爲衛尉，進封安鄉侯，增邑三百户，并前八百户。分封少子延及孫曉列侯。方欲以爲公，會薨，帝爲流涕，追贈車騎將軍，謚曰肅侯。子武嗣。武薨，子克嗣。克薨，子良嗣。

曉，嘉平中爲黄門侍郎。時校事放横，曉上疏曰：『《周禮》云：「設官分職，以爲民極。」《春秋傳》曰：「天有十日，人有十等。」愚不得臨賢，賤不得臨貴。於是並建聖哲，樹之風聲。明試以功，九載考績。各脩厥業，思不出位。故欒書欲拯晋侯，其子不聽；死人横於街路，邴吉不問。上不責非職之功，下不務分外之賞，吏無兼統之勢，民無二事之役，斯誠爲國要道，治亂所由也。遠覽典志，近觀秦漢，雖官名改易，職司不同，至于崇上抑下，顯分明例，其致一也。初無校事之官干與庶政者也。昔武皇帝大業草創，衆官未備，而軍旅勤苦，民心不安，乃有小罪不可不察，故置校事，取其一切耳，然檢御有方，不至縱恣也。此霸世之權宜，非帝王之正典。其後漸蒙見任，復爲疾病，轉相因仍，莫正其本。遂令上察宫廟，下攝衆司，官無局業，職無分限，隨意任情，唯心所適。法造於筆端，不依科詔；獄成於門下，不顧覆訊。其選官屬，以謹慎爲粗疏，以謥詷爲賢能。其治事，以刻暴爲公嚴，以循理爲怯弱。外則托天威以爲聲勢，内則聚群奸以爲腹心。大臣耻與分勢，含忍而不言，小人畏其鋒芒，鬱結而無告。至使尹模公于目下肆其奸慝；罪惡之著，行路皆知，纖惡之過，積年不聞。既非《周禮》設官之意，又非《春秋》十等之義也。今外有公卿將校總統諸署，内有侍中尚書綜理萬機，司隸校尉督察京輦，御史中丞董攝宫殿，皆高選賢才以充其職，申明科詔以督其違。若此諸賢猶不足任，校事小吏，益不可信。若此諸賢各思盡忠，校事區區，亦復無益。若更高選國士以爲

校事，則是中丞司隸重增一官耳。若如舊選，尹模之奸今復發矣。進退推算，無所用之。昔桑弘羊爲漢求利，卜式以爲獨烹弘羊，天乃可雨。若使政治得失必感天地，臣恐水旱之災，未必非校事之由也。曹恭公遠君子，近小人，《國風》托以爲刺。衛獻公捨大臣，與小臣謀，定姜謂之有罪。縱令校事有益於國，以禮義言之，尚傷大臣之心，况奸回暴露，而復不罷，是衮闕不補，迷而不返也。』於是遂罷校事官。曉遷汝南太守，年四十餘薨。

郭嘉字奉孝，潁川陽翟人也。初，北見袁紹，謂紹謀臣辛評、郭圖曰：『夫智者審于量主，故百舉百全而功名可立也。袁公徒欲效周公之下士，而未知用人之機。多端寡要，好謀無決，欲與共濟天下大難，定霸王之業，難矣！』於是遂去之。先是時，潁川戲志才，籌畫士也，太祖甚器之。早卒。太祖與荀彧書曰：『自志才亡後，莫可與計事者。汝、潁固多奇士，誰可以繼之？』彧薦嘉。召見，論天下事。太祖曰：『使孤成大業者，必此人也。』嘉出，亦喜曰：『真吾主也。』表爲司空軍祭酒。征呂布，三戰破之，布退固守。時士卒疲倦，太祖欲引軍還，嘉説太祖急攻之，遂禽布。語在《荀攸傳》。

孫策轉鬭千里，盡有江東，聞太祖與袁紹相持於官渡，將渡江北襲許。衆聞皆懼，嘉料之曰：『策新并江東，所誅皆英豪雄傑，能得人死力者也。然策輕而無備，雖有百萬之衆，無異於獨行中原也。若刺客伏起，一人之敵耳。以吾觀之，必死於匹夫之手。』策臨江未濟，果爲許貢客所殺。

從破袁紹，紹死，又從討譚、尚于黎陽，連戰數克。諸將欲乘勝遂攻之，嘉曰：『袁紹愛此二子，莫適立也。有郭圖、逢紀爲之謀臣，必交鬭其間，還相離也。急之則相持，緩之而後爭心生。不如南向荆州若征劉表者，以待其變；變成而後擊之，可一舉定也。』太祖曰：『善。』乃南征。軍至西平，譚、尚果爭冀州。譚爲尚軍所敗，走保平原，遣辛毗乞降。太祖還救之，遂從定鄴。又從攻譚於南皮，冀州平。封嘉洧陽亭侯。

太祖將征袁尚及三郡烏丸，諸下多懼劉表使劉備襲許以討太祖，嘉曰：『公雖威震天下，胡恃其遠，必不設備。因其無備，卒然擊之，可破滅也。且袁紹有恩于民夷，而尚兄弟生存。今四州之民，徒以威附，德施未加，捨而南征，尚因烏丸之資，招其死主之臣，胡人一動，民夷俱應，以生蹋頓之心，成覬覦之計，恐青、冀非己之有也。表，坐談客耳，自知才不足以御備，重任之則恐不能制，輕任之則備不爲用，雖虚國遠征，公無憂矣。』太祖遂行。至易，嘉言曰：『兵貴神速。今千里襲人，輜重多，難以趣利，且彼聞之，必爲備；不如留輜重，輕兵兼道以出，掩其不意。』太祖乃密出盧龍塞，直指單于庭。虜卒聞太祖至，惶怖合戰。大破之，斬蹋頓及名王已下。尚及兄熙走遼東。

嘉深通有算略，達於事情。太祖曰：『唯奉孝爲能知孤意。』年三十八，自柳城還，疾篤，太祖問疾者交錯。及薨，臨其喪，哀甚，謂荀攸等曰：『諸君年皆孤輩也，唯奉孝最少。天下事竟，欲以後事屬之，而中年夭折，命也夫！』乃表曰：『軍祭酒郭嘉，自從征伐，十有一年。每有大議，臨敵制變。臣策未決，嘉輒成之。平定天下，謀功爲高。不幸短命，事業未終。追思嘉勳，實不可忘。可增邑八百户，并前千户。』謚曰貞侯。子奕嗣。

後太祖征荆州還，於巴丘遇疾疫，燒船，歎曰：『郭奉孝在，不使孤至此。』初，陳群非嘉不治行檢，數廷訴嘉，嘉意自若。太祖愈益重之，然以群能持正，亦悦焉。奕爲太子文學，早薨。子深嗣。深薨，子獵嗣。

董昭字公仁，濟陰定陶人也。舉孝廉，除癭陶長、柏人令，袁紹以爲參軍事。紹逆公孫瓚于界橋，鉅鹿太守李邵及郡冠蓋，以瓚兵强，皆欲屬瓚。紹聞之，使昭領鉅鹿。問：『禦以何術？』對曰：『一人之微，不能消衆謀，欲誘致其心，唱與同議，及得其情，乃當權以制之耳。計在臨時，未可得言。』時郡右姓孫伉等數十人專爲謀主，驚動吏民。昭至郡，僞作紹檄告郡云：『得賊羅候安平張吉辭，當攻鉅鹿，賊故孝廉孫伉等爲應，檄到收行軍法，惡止其身，妻子勿坐。』昭案檄告令，皆即斬之。一郡惶恐，乃以次安慰，遂皆平集。事訖白紹，紹稱善。會魏郡太守栗攀爲兵所害，紹以昭領魏郡太守。時郡界大亂，賊以萬數，遣使往來，交易市買。昭厚待之，因用爲間，乘虚掩討，輒大克破。二日之中，羽檄三至。

昭弟訪，在張邈軍中。邈與紹有隙，紹受讒將致罪於昭。昭欲詣漢獻帝，至河内，爲張楊所留。因楊上還印綬，拜騎都尉。時太祖領兖州，遣使詣楊，欲令假塗西至長安，楊不聽。昭説楊曰：『袁、曹雖爲一家，勢不久群。曹今雖弱，然實天下之英雄也，當故結之。況今有緣，宜通其上事，并表薦之；若事有成，永爲深分。』楊於是通太祖上事，表薦太祖。昭爲太祖作書與長安諸將李傕、郭汜等，各隨輕重致殷勤。楊亦遣使詣太祖。太祖遺楊犬馬金帛，遂與西方往來。天子在安邑，昭從河内往，詔拜議郎。

建安元年，太祖定黄巾于許，遣使詣河東。會天子還洛陽，韓暹、楊奉、董承及楊各違戾不和。昭以奉兵馬最强而少黨援，作太祖書與奉曰：『吾與將軍聞名慕義，便推赤心。今將軍拔萬乘之艱難，反之舊都，翼佐之功，超世無疇，何其休哉！方今群凶猾夏，四海未寧，神器至重，事在維輔；必須衆賢以清王軌，誠非一人所能獨建。心腹四支，實相恃賴，一物不備，則有闕焉。將軍當爲内主，吾爲外援。今吾有糧，將軍有兵，有無相通，足以相濟，死生契闊，相與共之。』奉得書喜悦，語諸將軍曰：『兖州諸軍近在許耳，有兵有糧，國家所當依仰也。』遂共表太祖爲鎮東將軍，襲父爵費亭侯；昭遷符節令。

太祖朝天子於洛陽，引昭並坐，問曰：『今孤來此，當施何計？』昭曰：『將軍興義兵以誅暴亂，入朝天子，輔翼王室，此五伯之功也。此下諸將，人殊意異，未必服從，今留匡弼，事勢不便，惟有移駕幸許耳。然朝廷播越，新還舊京，遠近跂望，冀一朝獲安。今復徙駕，不厭衆心。夫行非常之事，乃有非常之功，願將軍算其多者。』太祖曰：『此孤本志也。楊奉近在梁耳，聞其兵精，得無爲孤累乎？』昭曰：『奉少黨援，將獨委質。鎮東、費亭之事，皆奉所定，又聞書命申束，足以見信。宜時遣使厚遺答謝，以安其意。説「京都無糧，欲車駕暫幸魯陽，魯陽近許，轉運稍易，可無縣乏之憂」。奉爲人勇而寡慮，必不見疑，比使往來，足以定計。奉何能爲累！』太祖曰：『善。』即遣使詣奉。徙大駕至許。奉由是失望，與韓暹等到定陵鈔暴。太祖不應，密往攻其梁營，降誅即定。奉、暹失衆，

東降袁術。三年，昭遷河南尹。時張楊爲其將楊醜所殺，楊長史薛洪、河內太守繆尚城守待紹救。太祖令昭單身入城，告喻洪、尚等，即日舉衆降。以昭爲冀州牧。

太祖令劉備拒袁術，昭曰：『備勇而志大，關羽、張飛爲之羽翼，恐備之心未可得論也！』太祖曰：『吾已許之矣。』備到下邳，殺徐州刺史車胄，反。太祖自征備，徙昭爲徐州牧。袁紹遣將顏良攻東郡，又徙昭爲魏郡太守，從討良。良死後，進圍鄴城。袁紹同族春卿爲魏郡太守，在城中，其父元長在揚州，太祖遣人迎之。昭書與春卿曰：『蓋聞孝者不背親以要利，仁者不忘君以徇私，志士不探亂以徼幸，智者不詭道以自危。足下大君，昔避內難，南游百越，非疏骨肉，樂彼吴會，智者深識，獨或宜然。曹公愍其守志清恪，離群寡儔，故特遣使江東，或迎或送，今將至矣。就令足下處偏平之地，依德義之主，居有泰山之固，身爲喬松之偶，以義言之，猶宜背彼向此，捨民趣父也。且邾儀父始與隱公盟，魯人嘉之，而不書爵，然則王所未命，爵尊不成，《春秋》之義也。況足下今日之所託者乃危亂之國，所受者乃矯誣之命乎？苟不逞之與群，而厥父之不恤，不可以言孝。忘祖宗所居之本朝，安非正之奸職，難可以言忠。忠孝並替，難以言智。又足下昔日爲曹公所禮辟，夫戚族人而疏所生，內所寓而外王室，懷邪禄而叛知己，遠福祚而近危亡，棄明義而收大恥，不亦可惜邪！若能翻然易節，奉帝養父，委身曹公，忠孝不墜，榮名彰矣。宜深留計，早決良圖。』鄴既定，以昭爲諫議大夫。後袁尚依烏丸蹋頓，太祖將征之。患軍糧難致，鑿平虜、泉州二渠入海通運，昭所建也。太祖表封千秋亭侯，轉拜司空軍祭酒。

後昭建議：『宜脩古建封五等。』太祖曰：『建設五等者，聖人也，又非人臣所制，吾何以堪之？』昭曰：『自古以來，人臣匡世，未有今日之功。有今日之功，未有久處人臣之勢者也。今明公恥有慚德而未盡善，樂保名節而無大責，德美過於伊、周，此至德之所極也。然太甲、成王未必可遭，今民難化，甚於殷、周，處大臣之勢，使人以大事疑己，誠不可不重慮也。明公雖邁威德，明法術，而不定其基，爲萬世計，猶未至也。定基之本，在地與人，宜稍建立，以自藩衛。明公忠節穎露，天威在顔，耿弇床下之言，朱英無妄之論，不得過耳。昭受恩非凡，不敢不陳。』後太祖遂受魏公、魏王之號，皆昭所創。

及關羽圍曹仁於樊，孫權遣使辭以『遣兵西上，欲掩取羽。江陵、公安累重，羽失二城，必自奔走，樊軍之圍，不救自解。乞密不漏，令羽有備』。太祖詰群臣，群臣咸言宜當密之。昭曰：『軍事尚權，期於合宜。宜應權以密，而內露之。羽聞權上，若還自護，圍則速解，便獲其利。可使兩賊相對銜持，坐待其弊。秘而不露，使權得志，非計之上。又，圍中將吏不知有救，計糧怖懼，儻有他意，爲難不小。露之爲便。且羽爲人强梁，自恃二城守固，必不速退。』太祖曰：『善。』即敕救將徐晃以權書射著圍裏及羽屯中，圍裏聞之，志氣百倍。羽果猶豫。權軍至，得其二城，羽乃破敗。

文帝即王位，拜昭將作大匠。及踐阼，遷大鴻臚，進封右鄉侯。二年，分邑百户，賜昭弟訪爵關內侯，徙昭爲侍中。三年，征東大將軍曹休臨江在洞浦口，自表：『願將鋭卒虎步江南，因敵取資，事必克捷；若其無臣，不須爲念。』帝恐休便渡江，驛馬詔止。時昭侍側，因曰：『竊見陛下有憂

色，獨以休濟江故乎？今者渡江，人情所難，就休有此志，勢不獨行，當須諸將。臧霸等既富且貴，無復他望，但欲終其天年，保守祿祚而已，何肯乘危自投死地，以求徼倖？苟霸等不進，休意自沮。臣恐陛下雖有敕渡之詔，猶必沉吟，未便從命也。」是後無幾，暴風吹賊船，悉詣休等營下，斬首獲生，賊遂迸散。詔敕諸軍促渡。軍未時進，賊救船遂至。

大駕幸宛，征南大將軍夏侯尚等攻江陵，未拔。時江水淺狹，尚欲乘船將步騎入渚中安屯，作浮橋，南北往來，議者多以爲城必可拔。昭上疏曰：「武皇帝智勇過人，而用兵畏敵，不敢輕之若此也。夫兵好進惡退，常然之數。平地無險，猶尚艱難，就當深入，還道宜利，兵有進退，不可如意。今屯渚中，至深也；浮橋而濟，至危也；一道而行，至狹也：三者兵家所忌，而今行之。賊頻攻橋，誤有漏失，渚中精銳，非魏之有，將轉化爲吳矣。臣私慼之，忘寢與食，而議者怡然不以爲憂，豈不惑哉！加江水向長，一旦暴增，何以防禦？就不破賊，尚當自完。奈何乘危，不以爲懼？事將危矣，惟陛下察之！」帝悟昭言，即詔尚等促出。賊兩頭並前，官兵一道引去，不時得泄，將軍石建、高遷僅得自免。軍出旬日，江水暴長。帝曰：「君論此事，何其審也！正使張、陳當之，何以復加。」五年，徙封成都鄉侯，拜太常。其年，徙光祿大夫，給事中。從大駕東征，七年還，拜太僕。明帝即位，進爵樂平侯，邑千户，轉衛尉。分邑百户，賜一子爵關內侯。

太和四年，行司徒事，六年，拜真。昭上疏陳末流之弊曰：「凡有天下者，莫不貴尚敦樸忠信之士，深疾虛僞不真之人者，以其毀教亂治，敗俗傷化也。近魏諷則伏誅建安之末，曹偉則斬戮黃初

之始。伏惟前後聖詔，深疾浮僞，欲以破散邪黨，常用切齒；而執法之吏皆畏其權勢，莫能糾擿，毀壞風俗，侵欲滋甚。竊見當今年少，不復以學問爲本，專更以交游爲業；國士不以孝悌清脩爲首，乃以趨勢游利爲先。合黨連群，互相褒嘆，以毀訾爲罰戮，用黨譽爲爵賞，附己者則嘆之盈言，不附者則爲作瑕釁。至乃相謂『今世何憂不度邪，但求人道不勤，羅之不博耳；又何患其不知己矣，但當吞之以藥而柔調耳。』又聞或有使奴客名作在職家人，冒之出入，往來禁奧，交通書疏，有所探問。凡此諸事，皆法之所不取，刑之所不赦，雖諷、偉之罪，無以加也。」帝於是發切詔，斥免諸葛誕、鄧颺等。昭年八十一薨，謚曰定侯。子胄嗣。胄歷位郡守、九卿。

劉曄字子揚，淮南成悳人，漢光武子阜陵王延後也。父普，母脩，產渙及曄。渙九歲，曄七歲，而母病困。臨終，戒渙、曄以「普之侍人，有諂害之性。身死之後，懼必亂家。汝長大能除之，則吾無恨矣。」曄年十三，謂兄渙曰：「亡母之言，可以行矣。」渙曰：「那可爾！」曄即入室殺侍者，徑出拜墓。舍内大驚，白普。普怒，遣人追曄。曄還拜謝曰：「亡母顧命之言，敢受不請擅行之罰。」普心異之，遂不責也。汝南許劭名知人，避地揚州，稱曄有佐世之才。

揚士多輕俠狡桀，有鄭寶、張多、許乾之屬，各擁部曲。寶最驍果，才力過人，一方所憚。欲驅略百姓越赴江表，以曄高族名人，欲强逼曄使唱導此謀。曄時年二十餘，心内憂之，而未有緣。會太祖遣使詣州，有所案問。曄往見，爲論事勢，要將與歸，駐止數日。寶果從數百人齎牛酒來候使，曄令家僮將其衆坐中門外，爲設酒飯；與寶於内宴飲。密勒健兒，令因行觴而斫寶。寶性不甘酒，視候

甚明，觴者不敢發。曄因自引取佩刀斫殺寶，斬其首以令其軍，云：『曹公有令，敢有動者，與寶同罪。』衆皆驚怖，走還營。營有督將精兵數千，懼其爲亂，曄即乘寶馬，將家僮數人，詣寶營門，呼其渠帥，喻以禍福，皆叩頭開門内曄。曄撫慰安懷，咸悉悦服，推曄爲主。曄睹漢室漸微，己爲支屬，不欲擁兵，遂委其部曲與廬江太守劉勳。勳怪其故，曄曰：『寶無法制，其衆素以鈔略爲利，僕宿無資，而整齊之，必懷怨難久，故相與耳。』時勳兵强于江、淮之間。孫策惡之，遣使卑辭厚幣，以書説勳曰：『上繚宗民，數欺下國，忿之有年矣。擊之，路不便，願因大國伐之。上繚甚實，得之可以富國，請出兵爲外援。』勳信之，又得策珠寶、葛越，喜悦。外内盡賀，而曄獨否。勳問其故，對曰：『上繚雖小，城堅池深，攻難守易，不可旬日而舉，則兵疲於外，而國内虚。策乘虚而襲我，則後不能獨守。是將軍進屈於敵，退無所歸。若軍必出，禍今至矣。』勳不從。興兵伐上繚，策果襲其後。勳窮踧，遂奔太祖。

太祖至壽春，時廬江界有山賊陳策，衆數萬人，臨險而守。先時遣偏將致誅，莫能禽克。太祖問群下，可伐與不？咸云：『山峻高而谿谷深隘，守易攻難；又無之不足爲損，得之不足爲益。』曄曰：『策等小竪，因亂赴險，遂相依爲强耳，非有爵命威信相伏也。往者偏將資輕，而中國未夷，故策敢據險以守。今天下略定，後伏先誅。夫畏死趨賞，愚知所同，故廣武君爲韓信畫策，謂其威名足以先聲後實而服鄰國也。豈況明公之德，東征西怨，先開賞募，大兵臨之，令宣之日，軍門啓而虜自潰矣。』太祖笑曰：『卿言近之！』遂遣猛將在前，大軍在後，至則克策，如曄所度。太祖還，辟曄爲司空倉曹掾。

太祖征張魯，轉曄爲主簿。既至漢中，山峻難登，軍食頗乏。太祖曰：『此妖妄之國耳，何能爲有無？吾軍少食，不如速還。』便自引歸，令曄督後諸軍，使以次出。曄策魯可克，加糧道不繼，雖出，軍猶不能皆全，馳白太祖：『不如致攻。』遂進兵，多出弩以射其營。魯奔走，漢中遂平。曄進曰：『明公以步卒五千，將誅董卓，北破袁紹，南征劉表，九州百郡，十并其八，威震天下，勢慴海外。今舉漢中，蜀人望風，破膽失守，推此而前，蜀可傳檄而定。劉備，人傑也，有度而遲，得蜀日淺，蜀人未恃也。今破漢中，蜀人震恐，其勢自傾。以公之神明，因其傾而壓之，無不克也。若小緩之，諸葛亮明於治而爲相，關羽、張飛勇冠三軍而爲將，蜀民既定，據險守要，則不可犯矣。今不取，必爲後憂。』太祖不從，大軍遂還。曄自漢中還，爲行軍長史，兼領軍。延康元年，蜀將孟達率衆降。達有容止才觀，文帝甚器愛之，使達爲新城太守，加散騎常侍。曄以爲『達有苟得之心，而恃才好術，必不能感恩懷義。新城與吴、蜀接連，若有變態，爲國生患。』文帝竟不易，後達終于叛敗。

黄初元年，以曄爲侍中，賜爵關内侯。詔問群臣令料劉備當爲關羽出報吴不。衆議咸云：『蜀，小國耳，名將唯羽。羽死軍破，國内憂懼，無緣復出。』曄獨曰：『蜀雖狹弱，而備之謀欲以威武自强，勢必用衆以示其有餘。且關羽與備，義爲君臣，恩猶父子；羽死不能爲興軍報敵，於終始之分不足。』後備果出兵擊吴。吴悉國應之，而遣使稱藩。朝臣皆賀，獨曄曰：『吴絶在江、漢之表，無内臣之心久矣。陛下雖齊德有虞，然醜虜之性，未有所感。因難求臣，必難信也。彼必外迫内困，然後

發此使耳，可因其窮，襲而取之。夫一日縱敵，數世之患，不可不察也。』備軍敗退，吳禮敬轉廢，帝欲興衆伐之，曄以爲『彼新得志，上下齊心，而阻帶江湖，必難倉卒』。帝不聽。五年，幸廣陵泗口，命荆、揚州諸軍並進。會群臣，問：『權當自來不？』咸曰：『陛下親征，權恐怖，必舉國而應。又不敢以大衆委之臣下，必自將而來。』曄曰：『彼謂陛下欲以萬乘之重牽己，而超越江湖者在於別將，必勒兵待事，未有進退也。』大駕停住積日，權果不至，帝乃旋師。云：『卿策之是也。當念爲吾滅二賊，不可但知其情而已。』

明帝即位，進爵東亭侯，邑三百户。詔曰：『尊嚴祖考，所以崇孝表行也；追本敬始，所以篤教流化也。是以成湯、文、武，實造商、周，《詩》、《書》之義，追尊稷、契，歌頌有娀、姜嫄之事，明盛德之源流，受命所由興也。自我魏室之承天序，既發迹於高皇、太皇帝，而功隆于武皇、文皇帝。至于高皇之父處士君，潛脩德讓，行動神明，斯乃乾坤所福饗，光靈所從來也。而精神幽遠，號稱罔記，非所謂崇孝重本也。其令公卿已下，會議號謚。』曄議曰：『聖帝孝孫之欲褒崇先祖，誠無量已。然親疏之數，遠近之降，蓋有禮紀，所以割斷私情，克成公法，爲萬世式也。周王所以上祖后稷者，以其佐唐有功，名在祀典故也。至於漢氏之初，追謚之義，不過其父。上比周室，則大魏發迹自高皇始；下論漢氏，則追謚之禮不及其祖。此誠往代之成法，當今之明義也。陛下孝思中發，誠無已已，然君舉必書，所以慎於禮制也。以爲追尊之義，宜齊高皇而已。』尚書衛臻與曄議同，事遂施行。遼東太守公孫淵奪叔父位，擅自立，遣使表狀。曄以爲公孫氏漢時所用，遂世官相承，水則由海，陸則阻山，故胡夷絶遠難制，而世權日久。今若不誅，後必生患。若懷貳阻兵，然後致誅，於事爲難。不如因其新立，有黨有仇，先其不意，以兵臨之，開設賞募，可不勞師而定也。後淵竟反。

曄在朝，略不交接時人。或問其故，曄答曰：『魏室即阼尚新，智者知命，俗或未咸。僕在漢爲支葉，於魏備腹心，寡偶少徒，於宜未失也。』太和六年，以疾拜太中大夫。有閒，爲大鴻臚，在位二年遜位，復爲太中大夫，薨。謚曰景侯。子寓嗣。少子陶，亦高才而薄行，官至平原太守。

蔣濟字子通，楚國平阿人也。仕郡計吏、州別駕。建安十三年，孫權率衆圍合肥。時大軍征荆州，遇疾疫，唯遣將軍張喜單將千騎，過領汝南兵以解圍，頗復疾疫。濟乃密白刺史僞得喜書，云步騎四萬已到雩婁，遣主簿迎喜。三部使齎書語城中守將，一部得入城，二部爲賊所得。權信之，遽燒圍走，城用得全。明年使於譙，太祖問濟曰：『昔孤與袁本初對官渡，徙燕、白馬民，民不得走，賊亦不敢鈔。今欲徙淮南民，何如？』濟對曰：『是時兵弱賊强，不徙必失之。自破袁紹，北拔柳城，南向江、漢，荆州交臂，威震天下，民無他志。然百姓懷土，實不樂徙，懼必不安。』太祖不從，而江、淮間十餘萬衆，皆驚走吳。後濟使詣鄴，太祖迎見大笑曰：『本但欲使避賊，乃更驅盡之。』拜濟丹陽太守。大軍南征還，以温恢爲揚州刺史，濟爲別駕。令曰：『季子爲臣，吴宜有君。今君還州，吾無憂矣。』民有誣告濟爲謀叛主率者，太祖聞之，指前令與左將軍于禁、沛相封仁等曰：『蔣濟寧有此事！有此事，吾爲不知人也。此必愚民樂亂，妄引之耳。』促理出之。辟爲丞相主簿西曹屬。令曰：『舜舉皋陶，不仁者遠；臧否得中，望于賢屬矣。』關羽圍樊、襄陽。太祖以漢帝在許，近賊，欲徙

都。司馬宣王及濟説太祖曰：『于禁等爲水所没，非戰攻之失，於國家大計未足有損。劉備、孫權，外親内疏，關羽得志，權必不願也。可遣人勸躡其後，許割江南以封權，則樊圍自解。』太祖如其言。權聞之，即引兵西襲公安、江陵。羽遂見禽。

文帝即王位，轉爲相國長史。及踐阼，出爲東中郎將。濟請留，詔曰：『高祖歌曰「安得猛士守四方」！天下未寧，要須良臣以鎮邊境。如其無事，乃還鳴玉，未爲後也。』濟上《萬機論》，帝善之。入爲散騎常侍。時有詔，詔征南將軍夏侯尚曰：『卿腹心重將，特當任使。恩施足死，惠愛可懷。作威作福，殺人活人。』尚以示濟。濟既至，帝問曰：『卿所聞見天下風教何如？』濟對曰：『未有他善，但見亡國之語耳。』帝忿然作色而問其故，濟具以答，因曰：『夫「作威作福」，《書》之明誡。「天子無戲言」，古人所慎。惟陛下察之！』於是帝意解，遣追取前詔。黄初三年，與大司馬曹仁征吴，濟別襲羨谿。仁欲攻濡須洲中，濟曰：『賊據西岸，列船上流，而兵入洲中，是爲自内地獄，危亡之道也。』仁不從，果敗。仁薨，復以濟爲東中郎將，代領其兵。詔曰：『卿兼資文武，志節慷慨，常有超越江湖吞吴會之志，故復授將率之任。』頃之，徵爲尚書。車駕幸廣陵，濟表水道難通，又上《三州論》以諷帝。帝不從，於是戰船數千皆滯不得行。議者欲就留兵屯田，濟以爲東近湖，北臨淮，若水盛時，賊易爲寇，不可安屯。帝從之，車駕即發。還到精湖，水稍盡，盡留船付濟。船本歷適數百里中，濟更鑿地作四五道，蹴船令聚；豫作土豚遏斷湖水，皆引後船，一時開遏入淮中。帝還洛陽，謂濟曰：『事不可不曉。吾前決謂分半燒船于山陽池中，卿於後致之，略與吾俱至譙。又每得所陳，實入吾意。自今討賊計畫，善思論之。』

明帝即位，賜爵關内侯。大司馬曹休帥軍向皖，濟表以爲『深入虜地，與權精兵對，而朱然等在上流，乘休後，臣未見其利也。』軍至皖，吴出兵安陸，濟又上疏曰：『今賊示形於西，必欲并兵圖東，宜急詔諸軍往救之。』會休軍已敗，盡棄器仗輜重退還。吴欲塞夾石，遇救兵至，是以官軍得不没。遷爲中護軍。時中書監、令號爲專任，濟上疏曰：『大臣太重者國危，左右太親者身蔽，古之至戒也。往者大臣秉事，外内扇動。陛下卓然自覽萬機，莫不祗肅。夫大臣非不忠也，然威權在下，則衆心慢上，勢之常也。陛下既已察之於大臣，願無忘於左右。左右忠正遠慮，未必賢於大臣，至於便辟取合，或能工之。今外所言，輒云中書，雖使恭慎不敢外交，但有此名，猶惑世俗。況實握事要，日在目前，儻因疲倦之間有所割制，衆臣見其能推移於事，即亦因時而向之。一有此端，因當内設自完，以此衆語，私招所交，爲之内援。若此，臧否毁譽，必有所興，功負賞罰，必有所易；直道而上者或壅，曲附左右者反達。因微而入，緣形而出，意所狎信，不復猜覺。此宜聖智所當早聞，外以經意，則形際自見。或恐朝臣畏言不合而受左右之怨，莫適以聞。臣竊亮陛下潛神默思，公聽並觀，若事有未盡於理而物有未周於用，將改曲易調，遠與黄、唐角功，近昭武、文之迹，豈近習而已哉！然人君猶不可悉天下事以適己明，當有所付。三官任一臣，非周公旦之忠，又非管夷吾之公，則有弄機敗官之弊。當今柱石之士雖少，至于行稱一州，智效一官，忠信竭命，各奉其職，可並驅策，不使聖明之朝有專吏之名也。』詔曰：『夫骨鯁之臣，人主之所仗也。濟才兼文武，服勤盡節，每軍國大事，

輒有奏議，忠誠奮發，吾甚壯之。』就遷爲護軍將軍，加散騎常侍。

景初中，外勤征役，內務宮室，怨曠者多，而年穀饑儉。濟上疏曰：『陛下方當恢崇前緒，光濟遺業，誠未得高枕而治也。今雖有十二州，至于民數，不過漢時一大郡。二賊未誅，宿兵邊陲，且耕且戰，怨曠積年。宗廟宮室，百事草創，農桑者少，衣食者多，今其所急，唯當息耗百姓，不至甚弊。弊攰之民，儻有水旱，百萬之衆，不爲國用。凡使民必須農隙，不奪其時。夫欲大興功之君，先料其民力而燠休之。句踐養胎以待用，昭王恤病以雪仇，故能以弱燕服強齊，羸越滅勁吳。今二敵不攻不滅，不事即侵，當身不除，百世之責也。以陛下聖明神武之略，捨其緩者，專心討賊，臣以爲無難矣。又歡娛之耽，害于精爽；神太用則竭，形太勞則弊。願大簡賢妙，足以充「百斯男」者。其冗散未齒，且悉分出，務在清靜。』詔曰：『微護軍，吾弗聞斯言也。』

齊王即位，徙爲領軍將軍，進爵昌陵亭侯，遷太尉。初，侍中高堂隆論郊祀事，以魏爲舜後，推舜配天。濟以爲舜本姓媯，其苗曰田，非曹之先，著文以追詰隆。是時，曹爽專政，丁謐、鄧颺等輕改法度。會有日蝕變，詔群臣問其得失，濟上疏曰：『昔大舜佐治，戒在比周；周公輔政，慎于其朋；齊侯問災，晏嬰對以布惠；魯君問異，臧孫答以緩役。應天塞變，乃實人事。今二賊未滅，將士暴露已數十年，男女怨曠，百姓貧苦。夫爲國法度，惟命世大才，乃能張其綱維以垂于後，豈中下之吏所宜改易哉？終無益于治，適足傷民，望宜使文武之臣各守其職，率以清平，則和氣祥瑞可感而致也。』以隨太傅司馬宣王屯洛水浮橋，誅曹爽等，進封都鄉侯，邑七百戶。濟上疏曰：『臣忝寵上司，而爽敢苞藏禍心，此臣之無任也。太傅奮獨斷之策，陛下明其忠節，罪人伏誅，社稷之福也。夫封寵慶賞，必加有功。今論謀則臣不先知，語戰則非臣所率，而上失其制，下受其弊。臣備宰司，民所具瞻，誠恐冒賞之漸自此而興，推讓之風由此而廢。』固辭，不許。是歲薨，謚曰景侯。子秀嗣。秀薨，子凱嗣。咸熙中，開建五等，以濟著勳前朝，改封凱爲下蔡子。

劉放字子棄，涿郡人，漢廣陽順王子西鄉侯宏後也。歷郡綱紀，舉孝廉。遭世大亂，時漁陽王松據其土，放往依之。太祖克冀州，放説松曰：『往者董卓作逆，英雄並起，阻兵擅命，人自封殖，惟曹公能拔拯危亂，翼戴天子，奉辭伐罪，所向必克。以二袁之強，守則淮南冰消，戰則官渡大敗；乘勝席卷，將清河朔，威刑既合，大勢以見。速至者漸福，後服者先亡，此乃不俟終日馳騖之時也。昔黥布棄南面之尊，仗劍歸漢，誠識廢興之理，審去就之分也。將軍宜投身委命，厚自結納。』松然之。會太祖討袁譚於南皮，以書招松，松舉雍奴、泉州、安次以附之。放爲松答太祖書，其文甚麗。太祖既善之，又聞其説，由是遂辟放。建安十年，與松俱至。太祖大悅，謂放曰：『昔班彪依竇融而有河西之功，今一何相似也！』乃以放參司空軍事，歷主簿記室，出爲郃陽、祋祤、贊令。

魏國既建，與太原孫資俱爲秘書郎。先是，資亦歷縣令，參丞相軍事。文帝即位，放、資轉爲左右丞。數月，放徙爲令。黃初初，改秘書爲中書，以放爲監，資爲令，各加給事中；放賜爵關內侯，資爲關中侯，遂掌機密。三年，放進爵魏壽亭侯，資關內侯。明帝即位，尤見寵任，同加散騎常侍；進放爵西鄉侯，資樂陽亭侯。太和末，吳遣將周賀浮海詣遼東，招誘公孫淵。帝欲邀討之，朝議多以

爲不可。惟資決行策，果大破之，進爵左鄉侯。放善爲書檄，三祖詔命有所招喻，多放所爲。青龍初，孫權與諸葛亮連和，欲俱出爲寇。邊候得權書，放乃改易其辭，往往換其本文而傅合之，與征東將軍滿寵，若欲歸化，封以示亮。亮騰與吳大將步騭等，騭等以見權。權懼亮自疑，深自解說。是歲，俱加侍中、光祿大夫。景初二年，遼東平定，以參謀之功，各進爵，封本縣，放方城侯，資中都侯。

其年，帝寢疾，欲以燕王宇爲大將軍，及領軍將軍夏侯獻、武衛將軍曹爽、屯騎校尉曹肇、驍騎將軍秦朗共輔政。宇性恭良，陳誠固辭。帝引見放、資，入卧內，問曰：『燕王正爾爲？』放、資對曰：『燕王實自知不堪大任故耳。』帝曰：『曹爽可代宇不？』放、資因贊成之。又深陳宜速召太尉司馬宣王，以綱維皇室。帝納其言，即以黃紙授放作詔。放、資既出，帝意復變，詔止宣王勿使來。尋更見放、資曰：『我自召太尉，而曹肇等反使吾止之，幾敗吾事！』命更爲詔，帝獨召爽與放、資俱受詔命，遂免宇、獻、肇、朗官。太尉亦至，登床受詔，然後帝崩。齊王即位，以放、資決定大謀，增邑三百，放并前千一百，資千户；封愛子一人亭侯，次子騎都尉，餘子皆郎中。正始元年，更加放左光祿大夫，資右光祿大夫，金印紫綬，儀同三司。六年，放轉驃騎，資衛將軍，領監、令如故。七年，復封子一人亭侯，各年老遜位，以列侯朝朔望，位特進。曹爽誅後，復以資爲侍中，領中書令。嘉平二年，放薨，謚曰敬侯。子正嗣。資復遜位歸第，就拜驃騎將軍，轉侍中，特進如故。三年薨，謚曰貞侯。子宏嗣。

放才計優資，而自脩不如也。放、資既善承順主上，又未嘗顯言得失，抑辛毗而助王思，以是獲譏於世。然時因群臣諫諍，扶贊其義，并時密陳損益，不專導諛言云。及咸熙中，開建五等，以放、資著勳前朝，改封正方城子，宏離石子。

評曰：程昱、郭嘉、董昭、劉曄、蔣濟才策謀略，世之奇士，雖清治德業，殊於荀攸，而籌畫所料，是其倫也。劉放文翰，孫資勤慎，並管喉舌，權聞當時，雅亮非體，是故譏諛之聲，每過其實矣。

三國志卷十五

魏書十五

劉司馬梁張温賈傳第十五

劉馥字元穎，沛國相人也。避亂揚州，建安初，説袁術將戚寄、秦翊，使率衆與俱詣太祖。太祖悦之，司徒辟爲掾。後孫策所置廬江太守李述攻殺揚州刺史嚴象，廬江梅乾、雷緒、陳蘭等聚衆數萬在江、淮間，郡縣殘破。太祖方有袁紹之難，謂馥可任以東南之事，遂表爲揚州刺史。

馥既受命，單馬造合肥空城，建立州治，南懷緒等，皆安集之，貢獻相繼。數年中恩化大行，百姓樂其政，流民越江山而歸者以萬數。於是聚諸生，立學校，廣屯田，興治芍陂及茹陂、七門、吴塘諸堨以溉稻田，官民有畜。又高爲城壘，多積木石，編作草苫數千萬枚，益貯魚膏數千斛，爲戰守備。

建安十三年卒。孫權率十萬衆攻圍合肥城百餘日，時天連雨，城欲崩，於是以苫蓑覆之，夜然脂照城外，視賊所作而爲備，賊以破走。揚州士民益追思之，以爲雖董安于之守晉陽，不能過也。及陂塘之利，至今爲用。

馥子靖，黄初中從黄門侍郎遷廬江太守，詔曰：『卿父昔爲彼州，今卿復據此郡，可謂克負荷者也。』轉在河内，遷尚書，賜爵關内侯，出爲河南尹。散騎常侍應璩書與靖曰：『入作納言，出臨京任。富民之術，日引月長。藩落高峻，絶穿窬之心。五種別出，遠水火之灾。農器必具，無失時之闕。蠶麥有苦備之用，無雨濕之虞。封符指期，無流連之吏。鰥寡孤獨，蒙廪振之實。加之以明擿幽微，重之以秉憲不撓；有司供承王命，百里垂拱仰辦。雖昔趙、張、三王之治，未足以方也。』靖爲政類如此。初雖如碎密，終於百姓便之，有馥遺風。母喪去官，後爲大司農衛尉，進封廣陸亭侯，邑三百户。上疏陳儒訓之本曰：『夫學者，治亂之軌儀，聖人之大教也。自黄初以來，崇立太學二十餘年，而寡有成者，蓋由博士選輕，諸生避役，高門子弟，耻非其倫，故無學者。雖有其名而無其人，雖設其教而無其功。宜高選博士，取行爲人表，經任人師者，掌教國子。依遵古法，使二千石以上子孫，年從十五，皆入太學。明制黜陟榮辱之路，其經明行修者，則進之以崇德；荒教廢業者，則退之以懲惡；舉善而教不能則勸，浮華交游，不禁自息矣。闡弘大化，以綏未賓；六合承風，遠人來格。此聖人之教，致治之本也。』後遷鎮北將軍，假節都督河北諸軍事。靖以爲『經常之大法，莫善於守防，使民夷有別』。遂開拓邊守，屯據險要。又修廣戾陵渠大堨，水溉灌薊南北；三更種稻，邊民利之。嘉平六年薨，追贈徵北將軍，進封建成鄉侯，謚曰景侯。子熙嗣。

司馬朗字伯達，河内温人也。九歲，人有道其父字者，朗曰：『慢人親者，不敬其親者也。』客謝之。十二，試經爲童子郎，監試者以其身體壯大，疑朗匿年，劾問。朗曰：『朗之内外，累世長大，朗雖稚弱，無仰高之風，損年以求早成，非志所爲也。』監試者異之。後關東兵起，故冀州刺史李邵家居野王，近山險，欲徙居温。朗謂邵曰：『脣齒之喻，豈唯虞、虢，温與野王即是也；今去彼而居此，是爲避朝亡之期耳。且君，國人之望也，今寇未至而先徙，帶山之縣必駭，是摇動民之心而開奸宄

之原也，竊爲郡内憂之。』邵不從。邊山之民果亂，内徙，或爲寇鈔。

是時董卓遷天子都長安，卓因留洛陽。朗父防爲治書御史，當徙西，以四方雲擾，乃遣朗將家屬還本縣。或有告朗欲逃亡者，執以詣卓，卓謂朗曰：『卿與吾亡兒同歲，幾大相負！』朗因曰：『明公以高世之德，遭陽九之會，清除群穢，廣舉賢士，此誠虚心垂慮，將興至治也。威德以隆，功業以著，而兵難日起，州郡鼎沸，郊境之内，民不安業，捐棄居産，流亡藏竄，雖四關設禁，重加刑戮，猶不絶息，此朗之所以於邑也。願明公監觀往事，少加三思，即榮名並於日月，伊、周不足侔也。』卓曰：『吾亦悟之，卿言有意！』

朗知卓必亡，恐見留，即散財物以賂遺卓用事者，求歸鄉里。到謂父老曰：『董卓悖逆，爲天下所讎，此忠臣義士奮發之時也。郡與京都境壤相接，洛東有成皋，北界大河，天下興義兵者若未得進，其勢必停於此。此乃四分五裂戰争之地，難以自安，不如及道路尚通，舉宗東到黎陽。黎陽有營兵，趙威孫鄉里舊婚，爲監營謁者，統兵馬，足以爲主。若後有變，徐復觀望未晚也。』父老戀舊，莫有從者，惟同縣趙咨，將家屬俱與朗往焉。後數月，關東諸州郡起兵，衆數十萬，皆集滎陽及河内。諸將不能相一，縱兵鈔掠，民人死者且半。久之，關東兵散，太祖與吕布相持於濮陽，朗乃將家還温。時歲大饑，人相食，朗收恤宗族，教訓諸弟，不爲衰世解業。

年二十二，太祖辟爲司空掾屬，除成皋令，以病去，復爲堂陽長。其治務寬惠，不行鞭杖，而民不犯禁。先時，民有徙充都内者，後縣調當作船，徙民恐其不辦，乃相率私還助之，其見愛如此。遷元城令，入爲丞相主簿。朗以爲天下土崩之勢，由秦滅五等之制，而郡國無蒐狩習戰之備故也。今雖五等未可復行，可令州郡並置兵，外備四夷，内威不軌，於策爲長。又以爲宜復井田。往者以民各有累世之業，難中奪之，是以至今。今承大亂之後，民人分散，土業無主，皆爲公田，宜及此時復之。議雖未施行，然州郡領兵，朗本意也。遷兗州刺史，政化大行，百姓稱之。雖在軍旅，常粗衣惡食，儉以率下。雅好人倫典籍，鄉人李觀等盛得名譽，朗常顯貶下之；後觀等敗，時人服焉。鍾繇、王粲著論云：『非聖人不能致太平。』朗以爲『伊、顔之徒雖非聖人，使得數世相承，太平可致』。建安二十二年，與夏侯惇、臧霸等征吴。到居巢，軍士大疫，朗躬巡視，致醫藥。遇疾卒，時年四十七。遺命布衣幅巾，斂以時服，州人追思之。明帝即位，封朗子遺昌武亭侯，邑百户。朗弟孚又以子望繼朗後。遺薨，望子洪嗣。

初朗所與俱徙趙咨，官至太常，爲世好士。

梁習字子虞，陳郡柘人也，爲郡綱紀。太祖爲司空，辟召爲漳長，累轉乘氏、海西、下邳令，所在有治名。還爲西曹令史，遷爲屬。并土新附，習以别部司馬領并州刺史。時承高幹荒亂之餘，胡狄在界，張雄跋扈，吏民亡叛，入其部落；兵家擁衆，作爲寇害，更相扇動，往往棋跱。習到官，誘諭招納，皆禮召其豪右，稍稍薦舉，使詣幕府；豪右已盡，乃次發諸丁强以爲義從；又因大軍出征，分請以爲勇力。吏兵已去之後，稍移其家，前後送鄴，凡數萬口；其不從命者，興兵致討，斬首千數，降附者萬計。單于恭順，名王稽顙，部曲服事供職，同於編户。邊境肅清，百姓布野，勤勸農桑，

令行禁止。貢達名士，咸顯於世，語在《常林傳》。太祖嘉之，賜爵關内侯，更拜爲真。長老稱咏，以爲自所聞識，刺史未有及習者。建安十八年，州并屬冀州，更拜議郎、西部都督從事，統屬冀州，總故部曲。又使於上黨取大材供鄴宫室。習表置屯田都尉二人，領客六百夫，於道次耕種菽粟，以給人牛之費。後單于入侍，西北無虞，習之績也。文帝踐阼，復置并州，復爲刺史，進封申門亭侯，邑百户；政治常爲天下最。太和二年，徵拜大司農。習在州二十餘年，而居處貧窮，無方面珍物，明帝異之，禮賜甚厚。四年，薨，子施嗣。

初，濟陰王思與習俱爲西曹令史。思因直日白事，失太祖指。太祖大怒，教召主者，將加重辟。時思近出，習代往對，已被收執矣，思乃馳還，自陳己罪，罪應受死。太祖嘆習之不言，思之識分，曰：『何意吾軍中有二義士乎？』後同時擢爲刺史，思領豫州。思亦能吏，然苛碎無大體，官至九卿，封列侯。

張既字德容，馮翊高陵人也。年十六，爲郡小吏。後歷右職，舉孝廉，不行。太祖爲司空，辟，未至，舉茂才，除新豐令，治爲三輔第一。袁尚拒太祖於黎陽，遣所置河東太守郭援、并州刺史高幹及匈奴單于取平陽，發使西與關中諸將合從。司隸校尉鍾繇遣既説將軍馬騰等，既爲言利害，騰等從之。騰遣子超將兵萬餘人，與繇會擊幹、援，大破之，斬援首。幹及單于皆降。其後幹復舉并州反。河内張晟衆萬餘人無所屬，寇崤、澠間，河東衛固、弘農張琰各起兵以應之。太祖以既爲議郎，參繇軍事，使西徵諸將馬騰等，皆引兵會擊晟等，破之。斬琰、固首，幹奔荆州。封既武始亭侯。太祖將征荆州，而騰等分據關中。太祖復遣既喻騰等，令釋部曲求還。騰已許之而更猶豫，既恐爲變，乃移諸縣促儲偫，二千石郊迎。騰不得已，發東。太祖表騰爲衛尉，子超爲將軍，統其衆。後超反，既從太祖破超於華陰，西定關右。以既爲京兆尹，招懷流民，興復縣邑，百姓懷之。魏國既建，爲尚書，出爲雍州刺史。太祖謂既曰：『還君本州，可謂衣綉晝行矣。』從征張魯，别從散關入討叛氐，收其麥以給軍食。魯降，既説太祖拔漢中民數萬户以實長安及三輔。其後與曹洪破吴蘭於下辯，又與夏侯淵討宋建，别攻臨洮、狄道，平之。是時，太祖徙民以充河北，隴西、天水、南安民相恐動，擾擾不安，既假三郡人爲將吏者休課，使治屋宅，作水碓，民心遂安。太祖將拔漢中守，恐劉備北取武都氐以逼關中，問既。既曰：『可勸使北出就穀以避賊，前至者厚其寵賞，則先者知利，後必慕之。』太祖從其策，乃自到漢中引出諸軍，令既之武都，徙氐五萬餘落出居扶風、天水界。

是時，武威顔俊、張掖和鸞、酒泉黄華、西平麴演等並舉郡反，自號將軍，更相攻擊。俊遣使送母及子詣太祖爲質，求助。太祖問既，既曰：『俊等外假國威，内生傲悖，計定勢足，後即反耳。今方事定蜀，且宜兩存而鬭之，猶卞莊子之刺虎，坐收其斃也。』太祖曰：『善。』歲餘，鸞遂殺俊，武威王秘又殺鸞。是時不置凉州，自三輔拒西域，皆屬雍州。文帝即王位，初置凉州，以安定太守鄒岐爲刺史。張掖張進執郡守舉兵拒岐，黄華、麴演各逐故太守，舉兵以應之。既進兵爲護羌校尉蘇則聲勢，故則得以有功。既進爵都鄉侯。凉州盧水胡伊健妓妾、治元多等反，河西大擾。帝憂之，曰：『非既莫能安凉州。』乃召鄒岐，以既代之。詔曰：「昔賈復請擊郾賊，光武笑曰：『執金吾擊郾，吾復何

憂？」卿謀略過人，今則其時。以便宜從事，勿復先請。」遣護軍夏侯儒、將軍費曜等繼其後。既至金城，欲渡河，諸將守以爲『兵少道險，未可深入』。既曰：『道雖險，非井陘之隘，夷狄烏合，無左車之計，今武威危急，赴之宜速。』遂渡河。賊七千餘騎逆拒軍於鸇陰口，既揚聲軍由鸇陰，乃潛由且次出至武威。胡以爲神，引還顯美。既已據武威，曜乃至，儒等猶未達。既勞賜將士，欲進軍擊胡。諸將皆曰：『士卒疲倦，虜衆氣鋭，難與争鋒。』既曰：『今軍無見糧，當因敵爲資。若虜見兵合，退依深山，追之則道險窮餓，兵還則出候寇鈔。如此，兵不得解，所謂「一日縱敵，患在數世」也。』遂前軍顯美。胡騎數千，因大風欲放火燒營，將士皆恐。既夜藏精卒三千人爲伏，使參軍成公英督千餘騎挑戰，敕使陽退。胡果争奔之，因發伏截其後，首尾進擊，大破之，斬首獲生以萬數。帝甚悦，詔曰：『卿逾河歷險，以勞擊逸，以寡勝衆，功過南仲，勤逾吉甫。此勳非但破胡，乃永寧河右，使吾長無西顧之念矣。』徙封西鄉侯，增邑二百，并前四百户。

酒泉蘇衡反，與羌豪鄰戴及丁令胡萬餘騎攻邊縣。既與夏侯儒擊破之，衡及鄰戴等皆降。遂上疏請與儒治左城，築鄣塞，置烽候、邸閣以備胡。西羌恐，率衆二萬餘落降。其後西平麴光等殺其郡守，諸將欲擊之，既曰：『唯光等造反，郡人未必悉同。若便以軍臨之，吏民羌胡必謂國家不别是非，更使皆相持著，此爲虎傅翼也。光等欲以羌胡爲援，今先使羌胡鈔擊，重其賞募，所虜獲者皆以畀之。外沮其勢，内離其交，必不戰而定。』乃檄告諭諸羌，爲光等所詿誤者原之；能斬賊帥送首者當加封賞。於是光部黨斬送光首，其餘咸安堵如故。

既臨二州十餘年，政惠著聞，其所禮辟扶風龐延、天水楊阜、安定胡遵、酒泉龐淯、燉煌張恭、周生烈等，終皆有名位。黄初四年薨。詔曰：『昔荀桓子立勳翟土，晋侯賞以千室之邑；馮異輸力漢朝，光武封其二子。故涼州刺史張既，能容民畜衆，使群羌歸土，可謂國之良臣。不幸薨隕，朕甚愍之，其賜小子翁歸爵關内侯。』明帝即位，追謚曰肅侯。子緝嗣。

緝以中書郎稍遷東莞太守。嘉平中，女爲皇后，徵拜光禄大夫，位特進，封妻向爲安城鄉君。緝與中書令李豐同謀，誅。語在《夏侯玄傳》。

温恢字曼基，太原祁人也。父恕，爲涿郡太守，卒。恢年十五，送喪還歸鄉里，内足於財。恢曰：『世方亂，安以富爲？』一朝盡散，振施宗族。州里高之，比之郇越。舉孝廉，爲廩丘長，鄢陵、廣川令，彭城、魯相，所在見稱。入爲丞相主簿，出爲揚州刺史。太祖曰：『甚欲使卿在親近，顧以爲不如此州事大。故《書》云：「股肱良哉！庶事康哉！」得無當得蔣濟爲治中邪？』時濟見爲丹楊太守，乃遣濟還州。又語張遼、樂進等曰：『揚州刺史曉達軍事，動静與共咨議。』

建安二十四年，孫權攻合肥，是時諸州皆屯戍。恢謂兗州刺史裴潛曰：『此閒雖有賊，不足憂，而畏征南方有變。今水生而子孝縣軍，無有遠備。關羽驍鋭，乘利而進，必將爲患。』於是有樊城之事。詔書召潛及豫州刺史吕貢等，潛等緩之。恢密語潛曰：『此必襄陽之急欲赴之也。所以不爲急會者，不欲驚動遠衆。一二日必有密書促卿進道，張遼等又將被召。遼等素知王意，後召前至，卿受其責矣！』潛受其言，置輜重，更爲輕裝速發，果被促令。遼等尋各見召，如恢所策。

文帝踐阼，以恢爲侍中，出爲魏郡太守。數年，遷涼州刺史，持節領護羌校尉。道病卒，時年四十五。詔曰：『恢有柱石之質，服事先帝，功勤明著。及爲朕執事，忠於王室，故授之以萬里之任，任之以一方之事。如何不遂，吾甚愍之！』賜恢子生爵關内侯。生早卒，爵絶。

恢卒後，汝南孟建爲涼州刺史，有治名，官至征東將軍。

賈逵字梁道，河東襄陵人也。自爲兒童，戲弄常設部伍，祖父習異之，曰：『汝大必爲將率。』口授兵法數萬言。初爲郡吏，守絳邑長。郭援之攻河東，所經城邑皆下，逵堅守，援攻之不拔，乃召單于并軍急攻之。城將潰，絳父老與援要，不害逵。絳人既潰，援聞逵名，欲使爲將，以兵劫之，逵不動。左右引逵使叩頭，逵叱之曰：『安有國家長吏爲賊叩頭！』援怒，將斬之。絳吏民聞將殺逵，皆乘城呼曰：『負要殺我賢君，寧俱死耳！』左右義逵，多爲請，遂得免。初，逵過皮氏，曰：『爭地先據者勝。』及圍急，知不免，乃使人閒行送印綬歸郡，且曰『急據皮氏』。援既并絳衆，將進兵。逵恐其先得皮氏，乃以他計疑援謀人祝奥，援由是留七日。郡從逵言，故得無敗。

後舉茂才，除澠池令。高幹之反，張琰將舉兵以應之。逵不知其謀，往見琰。聞變起，欲還，恐見執，乃爲琰畫計，如與同謀者，琰信之。時縣寄治蠡城，城塹不固，逵從琰求兵脩城。諸欲爲亂者皆不隱其謀，故逵得盡誅之。遂脩城拒琰。琰敗，逵以喪祖父去官，司徒辟爲掾，以議郎參司隸軍事。太祖征馬超，至弘農，曰『此西道之要』，以逵領弘農太守。召見計事，大悦之，謂左右曰：『使天下二千石悉如賈逵，吾何憂？』其後發兵，逵疑屯田都尉藏亡民。都尉自以不屬郡，言語不順。逵怒，收之，數以罪，撾折脚，坐免。然太祖心善逵，以爲丞相主簿。太祖征劉備，先遣逵至斜谷觀形勢。道逢水衡，載囚人數十車，逵以軍事急，輒竟重者一人，皆放其餘。太祖善之，拜諫議大夫，與夏侯尚並掌軍計。太祖崩洛陽，逵典喪事。時鄢陵侯彰行越騎將軍，從長安來赴，問逵先王璽綬所在。逵正色曰：『太子在鄴，國有儲副。先王璽綬，非君侯所宜問也。』遂奉梓宮還鄴。

文帝即王位，以鄴縣户數萬在都下，多不法，乃以逵爲鄴令。月餘，遷魏郡太守。大軍出征，復爲丞相主簿祭酒。逵嘗坐人爲罪，王曰：『叔向猶十世宥之，況逵功德親在其身乎？』從至黎陽，津渡者亂行，逵斬之，乃整。至譙，以逵爲豫州刺史。是時天下初復，州郡多不攝。逵曰：『州本以御史出監諸郡，以六條詔書察長吏二千石已下，故其狀皆言嚴能鷹揚有督察之才，不言安静寛仁有愷悌之德也。今長吏慢法，盜賊公行，州知而不糾，天下復何取正乎？』兵曹從事受前刺史假，逵到官數月，乃還；考竟其二千石以下阿縱不如法者，皆舉奏免之。帝曰：『逵真刺史矣。』布告天下，當以豫州爲法。賜爵關内侯。

州南與吳接，逵明斥候，繕甲兵，爲守戰之備，賊不敢犯。外修軍旅，内治民事，遏鄢、汝，造新陂，又斷山溜長谿水，造小弋陽陂，又通運渠二百餘里，所謂賈侯渠者也。黄初中，與諸將並征吳，破吕範於洞浦，進封陽里亭侯，加建威將軍。明帝即位，增邑二百户，并前四百户。時孫權在東關，當豫州南，去江四百餘里。每出兵爲寇，輒西從江夏，東從廬江。國家征伐，亦由淮、沔。是時州軍在項，汝南、弋陽諸郡，守境而已。權無北方之虞，東西有急，并軍相救，故戰少敗。逵以爲宜開直道

臨江，若權自守，則二方無救；若二方無救，則東關可取。乃移屯潦口，陳攻取之計，帝善之。

吴將張嬰、王崇率衆降。太和二年，帝使逵督前將軍滿寵、東莞太守胡質等四軍，從西陽直向東關，曹休從皖，司馬宣王從江陵。逵至五將山，休更表賊有請降者，求深入應之。詔宣王駐軍，逵東與休合進。逵度賊無東關之備，必并軍於皖；休深入與賊戰，必敗。乃部署諸將，水陸並進，行二百里，得生賊，言休戰敗，權遣兵斷夾石。諸將不知所出，或欲待後軍。逵曰：『休兵敗於外，路絶於內，進不能戰，退不得還，安危之機，不及終日。賊以軍無後繼，故至此；今疾進，出其不意，此所謂先人以奪其心也，賊見吾兵必走。若待後軍，賊已斷險，兵雖多何益！』乃兼道進軍，多設旗鼓爲疑兵，賊見逵軍，遂退。逵據夾石，以兵糧給休，休軍乃振。初，逵與休不善。黄初中，文帝欲假逵節，休曰：『逵性剛，素侮易諸將，不可爲督。』帝乃止。及夾石之敗，微逵，休軍幾無救也。

會病篤，謂左右曰：『受國厚恩，恨不斬孫權以下見先帝。喪事一不得有所脩作。』薨，謚曰肅侯。子充嗣。豫州吏民追思之，爲刻石立祠。青龍中，帝東征，乘輦入逵祠，詔曰：『昨過項，見賈逵碑像，念之愴然。古人有言，患名之不立，不患年之不長。逵存有忠勳，没而見思，可謂死而不朽者矣。其布告天下，以勸將來。』充，咸熙中爲中護軍。

評曰：自漢季以來，刺史總統諸郡，賦政于外，非若曩時司察之而已。太祖創基，迄終魏業，此皆其流稱譽有名實者也。咸精達事機，威恩兼著，故能肅齊萬里，見述于後也。

三國志卷十六

魏書十六

任蘇杜鄭倉傳第十六

任峻字伯達，河南中牟人也。漢末擾亂，關東皆震。中牟令楊原愁恐，欲棄官走。峻説原曰：『董卓首亂，天下莫不側目，然而未有先發者，非無其心也，勢未敢耳。明府若能唱之，必有和者。』原曰：『爲之奈何？』峻曰：『今關東有十餘縣，能勝兵者不減萬人，若權行河南尹事，總而用之，無不濟矣。』原從其計，以峻爲主簿。峻乃爲原表行尹事，使諸縣堅守，遂發兵。會太祖起關東，入中牟界，衆不知所從，峻獨與同郡張奮議，舉郡以歸太祖。峻又別收宗族及賓客家兵數百人，願從太祖。太祖大悦，表峻爲騎都尉，妻以從妹，甚見親信。太祖每征伐，峻常居守以給軍。是時歲饑旱，軍食不足，羽林監潁川棗祗建置屯田，太祖以峻爲典農中郎將，募百姓屯田於許下，得穀百萬斛，郡國列置田官，數年中所在積粟，倉廩皆滿。官渡之戰，太祖使峻典軍器糧運。賊數寇鈔絶糧道，乃使千乘爲一部，十道方行，爲複陳以營衛之，賊不敢近。軍國之饒，起於棗祗而成於峻。太祖以峻功高，乃表封爲都亭侯，邑三百户，遷長水校尉。

峻寬厚有度而見事理，每有所陳，太祖多善之。於饑荒之際，收恤朋友孤遺，中外貧宗，周急繼乏，信義見稱。建安九年薨，太祖流涕者久之。子先嗣。先薨，無子，國除。文帝追録功臣，謚峻曰成侯。復以峻中子覽爲關内侯。

蘇則字文師，扶風武功人也。少以學行聞，舉孝廉茂才，辟公府，皆不就。起家爲酒泉太守，轉安定、武都，所在有威名。太祖征張魯，過其郡，見則悦之，使爲軍導。魯破，則綏定下辯諸氐，通河西道，徙爲金城太守。是時喪亂之後，吏民流散飢窮，户口損耗，則撫循之甚謹。外招懷羌胡，得其牛羊，以養貧老。與民分糧而食，旬月之間，流民皆歸，得數千家。乃明爲禁令，有干犯者輒戮，其從教者必賞。親自教民耕種，其歲大豐收，由是歸附者日多。李越以隴西反，則率羌胡圍越，越即請服。太祖崩，西平麴演叛，稱護羌校尉。則勒兵討之。演恐，乞降。文帝以其功，加則護羌校尉，賜爵關内侯。

後演復結旁郡爲亂，張掖張進執太守杜通，酒泉黄華不受太守辛機，進、華皆自稱太守以應之。又武威三種胡並寇鈔，道路斷絶。武威太守毌丘興告急於則。時雍、涼諸豪皆驅略羌胡以從進等，郡人咸以爲進不可當。又將軍郝昭、魏平先是各屯守金城，亦受詔不得西度。則乃見郡中大吏及昭等與羌豪帥謀曰：『今賊雖盛，然皆新合，或有脅從，未必同心；因釁擊之，善惡必離，離而歸我，我增而彼損矣。既獲益衆之實，且有倍氣之勢，率以進討，破之必矣。若待大軍，曠日持久，善人無歸，必合於惡，善惡既合，勢難卒離。雖有詔命，違而合權，專之可也。』於是昭等從之，乃發兵救武威，降其三種胡，與興擊進於張掖。演聞之，將步騎三千迎則，辭來助軍，而實欲爲變。則誘與相見，因斬之，出以徇軍，其黨皆散走。則遂與諸軍圍張掖，破之，斬進及其支黨，衆皆降。演軍敗，華懼，出所執乞降，河西平。乃還金城。進封都亭侯，邑三百户。

徵拜侍中，與董昭同寮。昭嘗枕則膝卧，則推下之，曰：『蘇則之膝，非佞人之枕也。』初，則及臨菑侯植聞魏氏代漢，皆發服悲哭，文帝聞植如此，而不聞則也。帝在洛陽，嘗從容言曰：『吾應天而禪，而聞有哭者，何也？』則謂爲見問，鬚髯悉張，欲正論以對。侍中傅巽掐則曰：『不謂卿也。』於是乃止。文帝問則曰：『前破酒泉、張掖，西域通使，燉煌獻徑寸大珠，可復求市益得不？』則對曰：『若陛下化洽中國，德流沙漠，即不求自至；求而得之，不足貴也。』帝默然。後則從行獵，槎桎拔，失鹿，帝大怒，踞胡床拔刀，悉收督吏，將斬之。則稽首曰：『臣聞古之聖王不以禽獸害人，今陛下方隆唐堯之化，而以獵戲多殺群吏，愚臣以爲不可。敢以死請！』帝曰：『卿，直臣也。』遂皆赦之。然以此見憚。黄初四年，左遷東平相。未至，道病薨，謚曰剛侯。子怡嗣。怡薨，無子，弟愉襲封。愉，咸熙中爲尚書。

杜畿字伯侯，京兆杜陵人也。少孤，繼母苦之，以孝聞。年二十，爲郡功曹，守鄭縣令。縣囚繫數百人，畿親臨獄，裁其輕重，盡決遣之，雖未悉當，郡中奇其年少而有大意也。舉孝廉，除漢中府丞。會天下亂，遂棄官客荆州，建安中乃還。荀彧進之太祖，太祖以畿爲司空司直，遷護羌校尉，使持節，領西平太守。

太祖既定河北，而高幹舉并州反。時河東太守王邑被徵，河東人衛固、范先外以請邑爲名，而内實與幹通謀。太祖謂荀彧曰：『關西諸將，恃險與馬，征必爲亂。張晟寇殽、澠間，南通劉表，固等因之，吾恐其爲害深。河東被山帶河，四鄰多變，當今天下之要地也。君爲我舉蕭何、寇恂以鎮之。』彧曰：『杜畿其人也。』於是追拜畿爲河東太守。固等使兵數千人絶陝津，畿至不得渡。太祖遣夏侯惇討之，未至。或謂畿曰：『宜須大兵。』畿曰：『河東有三萬户，非皆欲爲亂也。今兵迫之急，欲爲善者無主，必懼而聽於固。固等勢專，必以死戰。討之不勝，四鄰應之，天下之變未息也；討之而勝，是殘一郡之民也。且固等未顯絶王命，外以請故君爲名，必不害新君。吾單車直往，出其不意。固爲人多計而無斷，必僞受吾。吾得居郡一月，以計縻之，足矣。』遂詭道從郖津度。范先欲殺畿以威衆。且觀畿去就，於門下斬殺主簿已下三十餘人，畿舉動自若。於是固曰：『殺之無損，徒有惡名；且制之在我。』遂奉之。畿謂衛固、范先曰：『衛、范，河東之望也，吾仰成而已。然君臣有定義，成敗同之，大事當共平議。』以固爲都督，行丞事，領功曹；將校吏兵三千餘人，皆范先督之。固等喜，雖陽事畿，不以爲意。固欲大發兵，畿患之，説固曰：『夫欲爲非常之事，不可動衆心。今大發兵，衆必擾，不如徐以貲募兵。』固以爲然，從之，遂爲貲調發，數十日乃定，諸將貪多應募而少遣兵。又入喻固等曰：『人情顧家，諸將掾吏，可分遣休息，急緩召之不難。』固等惡逆衆心，又從之。於是善人在外，陰爲己援；惡人分散，各還其家，則衆離矣。會白騎攻東垣，高幹入濩澤，上黨諸縣殺長吏，弘農執郡守，固等密調兵未至。畿知諸縣附己，因出，單將數十騎，赴張辟拒守，吏民多舉城助畿者，比數十日，得四千餘人。固等與幹、晟共攻畿，不下，略諸縣，無所得。會大兵至，幹、晟敗，固等伏誅，其餘黨與皆赦之，使復其居業。

是時天下郡縣皆殘破，河東最先定，少耗減。畿治之，崇寬惠，與民無爲。民嘗辭訟，有相告者，

畿親見爲陳大義，遣令歸諦思之，若意有所不盡，更來詣府。鄉邑父老自相責怒曰：『有君如此，奈何不從其教？』自是少有辭訟。班下屬縣，舉孝子、貞婦、順孫，復其繇役，隨時慰勉之。漸課民畜牸牛、草馬，下逮鷄豚犬豕，皆有章程。百姓勤農，家家豐實。畿乃曰：『民富矣，不可不教也。』於是冬月修戎講武，又開學宮，親自執經教授，郡中化之。

韓遂、馬超之叛也，弘農、馮翊多舉縣邑以應之。河東雖與賊接，民無異心。太祖西征至蒲阪，與賊夾渭爲軍，軍食一仰河東。及賊破，餘畜二十餘萬斛。太祖下令曰：『河東太守杜畿，孔子所謂「禹，吾無間然矣」。增秩中二千石。』太祖征漢中，遣五千人運，運者自率勉曰：『人生有一死，不可負我府君。』終無一人逃亡，其得人心如此。魏國既建，以畿爲尚書。事平，更有令曰：『昔蕭何定關中，寇恂平河內，卿有其功，間將授卿以納言之職；顧念河東吾股肱郡，充實之所，足以制天下，故且煩卿卧鎮之。』畿在河東十六年，常爲天下最。

文帝即王位，賜爵關內侯。徵爲尚書。及踐阼，進封豐樂亭侯，邑百户，守司隸校尉。帝征吳，以畿爲尚書僕射，統留事。其後帝幸許昌，畿復居守。受詔作御樓船，於陶河試船，遇風没。帝爲之流涕。詔曰：『昔冥勤其官而水死，稷勤百穀而山死。故尚書僕射杜畿，於孟津試船，遂至覆没，忠之至也。朕甚愍焉。』追贈太僕，謚曰戴侯。子恕嗣。

恕字務伯，太和中爲散騎黄門侍郎。恕推誠以質，不治飾，少無名譽。及在朝，不結交援，專心向公。每政有得失，常引綱維以正言，於是侍中辛毗等器重之。

時公卿以下大議損益，恕以爲『古之刺史，奉宣六條，以清静爲名，威風著稱，今可勿令領兵，以專民事』。俄而鎮北將軍呂昭又領冀州，乃上疏曰：

帝王之道，莫尚乎安民；安民之術，在於豐財。豐財者，務本而節用也。方今二賊未滅，戎車亟駕，此自熊虎之士展力之秋也。然搢紳之儒，横加榮慕，搤腕抗論，以孫、吴爲首，州郡牧守，咸共忽恤民之術，脩將率之事。農桑之民，競干戈之業，不可謂務本。帑藏歲虚而制度歲廣，民力歲衰而賦役歲興，不可謂節用。今大魏奄有十州之地，而承喪亂之弊，計其户口不如往昔一州之民，然而二方僭逆，北虜未賓，三邊遘難，繞天略市；所以統一州之民，經營九州之地，其爲艱難，譬策羸馬以取道里，豈可不加意愛惜其力哉？以武皇帝之節儉，府藏充實，猶不能十州擁兵；郡且二十也。今荆、揚、青、徐、幽、并、雍、凉緣邊諸州皆有兵矣，其所恃内充府庫外制四夷者，惟兖、豫、司、冀而已。臣前以州郡典兵，則專心軍功，不勤民事，宜别置將守，以盡治理之務；而陛下復以冀州寵秩呂昭。冀州户口最多，田多墾闢，又有桑棗之饒，國家徵求之府，誠不當復任以兵事也。若以北方當須鎮守，自可專置大將以鎮安之。計所置吏士之費，與兼官無異。然昭於人才尚復易；中朝苟乏人，兼才者勢不獨多。以此推之，知國家以人擇官，不爲官擇人也。官得其人，則政平訟理；政平故民富實，訟理故囹圄空虚。陛下踐阼，天下斷獄百數十人，歲歲增多，至五百餘人矣。民不益多，法不益峻。以此推之，非政教陵遲，牧守不稱之明效歟？往年牛死，通率天下十能損二；麥不半收，秋種未下。若二賊游魂於疆埸，飛芻輓粟，千里不及。究此之術，豈在强兵乎？武士勁卒愈多，愈

多愈病耳。夫天下猶人之體，腹心充實，四支雖病，終無大患；今兗、豫、司、冀亦天下之腹心也。是以愚臣慺慺，實願四州之牧守，獨脩務本之業，以堪四支之重。然孤論難持，犯欲難成，衆怨難積，疑似難分，故累載不爲明主所察。凡言此者，類皆疏賤；疏賤之言，實未易聽。若使善策必出於親貴，親貴固不犯四難以求忠愛，此古今之所常患也。

時又大議考課之制，以考內外衆官。恕以爲用不盡其人，雖才且無益，所存非所務，所務非世要。上疏曰：

《書》稱『明試以功，三考黜陟』，誠帝王之盛制。使有能者當其官，有功者受其祿，譬猶烏獲之舉千鈞，良、樂之選驥足也。雖歷六代而考績之法不著，關七聖而課試之文不垂，臣誠以爲其法可粗依，其詳難備舉故也。語曰：『世有亂人而無亂法。』若使法可專任，則唐、虞可不須稷、契之佐，殷、周無貴伊、呂之輔矣。今奏考功者，陳周、漢之法爲，綴京房之本旨，可謂明考課之要矣。於以崇揖讓之風，興濟濟之治，臣以爲未盡善也。其欲使州郡考士，必由四科，皆有事效，然後察舉，試辟公府，爲親民長吏，轉以功次補郡守者，或就增秩賜爵，此最考課之急務也。臣以爲便當顯其身，用其言，使具爲課州郡之法，法具施行，立必信之賞，施必行之罰。至於公卿及內職大臣，亦當俱以其職考課之也。

古之三公，坐而論道，內職大臣，納言補闕，無善不紀，無過不舉。且天下至大，萬機至衆，誠非一明所能遍照。故君爲元首，臣作股肱，明其一體相須而成也。是以古人稱廊廟之材，非一木之支；帝王之業，非一士之略。由是言之，焉有大臣守職辨課可以致雍熙者哉！且布衣之交，猶有務信誓而蹈水火，感知己而披肝膽，徇聲名而立節義者；況於束帶立朝，致位卿相，所務者非特匹夫之信，所感者非徒知己之惠，所徇者豈聲名而已乎！

諸蒙寵祿受重任者，不徒欲舉明主於唐、虞之上而已；身亦欲廁稷、契之列。是以古人不患於念治之心不盡，患於自任之意不足，此誠人主使之然也。唐、虞之君，委任稷、契、夔、龍而責成功，及其罪也，殛鯀而放四凶。今大臣親奉明詔，給事目下，其有夙夜在公，恪勤特立，當官不撓貴勢，執平不阿所私，危言危行以處朝廷者，自明主所察也。若尸祿以爲高，拱默以爲智，當官苟在於免負，立朝不忘於容身，絜行遜言以處朝廷者，亦明主所察也。誠使容身保位，無放退之辜，而盡節在公，抱見疑之勢，公義不脩而私議成俗，雖仲尼爲謀，猶不能盡一才，又況於世俗之人乎！今之學者，師商、韓而上法術，競以儒家爲迂闊，不周世用，此最風俗之流弊，創業者之所致慎也。

後考課竟不行。

樂安廉昭以才能拔擢，頗好言事。恕上疏極諫曰：

伏見尚書郎廉昭奏左丞曹璠以罰當關不依詔，坐判問。又云『諸當坐者別奏』。尚書令陳矯自奏不敢辭罰，亦不敢以處重爲恭，意至懇惻。臣竊憫然爲朝廷惜之！夫聖人不擇世而興，不易民而治，然而生必有賢智之佐者，蓋進之以道，率之以禮故也。古之帝王之所以能輔世長民者，莫不遠得百姓之歡心，近盡群臣之智力。誠使今朝任職之臣皆天下之選，而不能盡其力，不可謂能使人；

若非天下之選，亦不可謂能官人。陛下憂勞萬機，或親燈火，而庶事不康，刑禁日弛，豈非股肱不稱之明效歟？原其所由，非獨臣有不盡忠，亦主有不能使。百里奚愚於虞而智於秦，豫讓苟容中行而著節智伯，斯則古人之明驗矣。今臣言一朝皆不忠，是誣一朝也；然其事類，可推而得。陛下感帑藏之不充實，而軍事未息，至乃斷四時之賦衣，薄御府之私穀，帥由聖意，舉朝稱明，與聞政事密勿大臣，寧有懇懇憂此者乎？

騎都尉王才，幸樂人孟思所爲不法，振動京都，而其罪狀發於小吏，公卿大臣初無一言。自陛下踐阼以來，司隸校尉、御史中丞寧有舉綱維以督奸宄，使朝廷肅然者邪？若陛下以爲今世無良才，朝廷乏賢佐，豈可追望稷、契之遐蹤，坐待來世之俊乂乎！今之所謂賢者，盡有大官而享厚祿矣，然而奉上之節未立，向公之心不一者，委任之責不專，而俗多忌諱故也。臣以爲忠臣不必親，親臣不必忠。何者？以其居無嫌之地而事得自盡也。今有疏者毀人不實其所毀，而必曰私報所憎，譽人不實其所譽，而必曰私愛所親，左右或因之以進憎愛之說。非獨毀譽有之，政事損益，亦皆有嫌。陛下當思所以闡廣朝臣之心，篤厲有道之節，使之自同古人，望與竹帛耳。反使如廉昭者擾亂其間，臣懼大臣遂將容身保位，坐觀得失，爲來世戒也！

昔周公戒魯侯曰『無使大臣怨乎不以』，不言賢愚，明皆當世用也。堯數舜之功，稱去四凶，不言大小，有罪則去也。今者朝臣不自以爲不能，以陛下爲不任也；不自以爲不智，以陛下爲不問也。陛下何不遵周公之所以用，大舜之所以去？使侍中、尚書坐則侍帷幄，行則從華輦，親對詔問，所陳必達，則群臣之行，能否皆可得而知；忠能者進，闇劣者退，誰敢依違而不自盡？以陛下之聖明，親與群臣論議政事，使群臣人得自盡，人自以爲親，人思所以報，賢愚能否，在陛下之所用。以此治事，何事不辦？以此建功，何功不成？每有軍事，詔書常曰：『誰當憂此者邪？吾當自憂耳。』近詔又曰：『憂公忘私者必不然，但先公後私即自辦也。』伏讀明詔，乃知聖思究盡下情，然亦怪陛下不治其本而憂其末也。人之能否，實有本性，雖臣亦以爲朝臣不盡稱職也。明主之用人也，使能者不敢遺其力，而不能者不得處非其任。選舉非其人，未必爲有罪也；舉朝共容非其人，乃爲怪耳。陛下知其不盡力也，而代之憂其職，知其不能也，而教之治其事，豈徒主勞而臣逸哉？雖聖賢並世，終不能以此爲治也。

陛下又患臺閣禁令之不密，人事請屬之不絕，聽伊尹作迎客出入之制，選司徒更惡吏以守寺門，威禁由之，實未得爲禁之本也。昔漢安帝時，少府竇嘉辟廷尉郭躬無罪之兄子，猶見舉奏，章劾紛紛。近司隸校尉孔羨辟大將軍狂悖之弟，而有司嘿爾，望風希指，甚於受屬。選舉不以實，人事之大者也。嘉有親戚之寵，躬非社稷重臣，猶尚如此；以今況古，陛下自不督必行之罰以絕阿黨之原耳。伊尹之制，與惡吏守門，非治世之具也。使臣之言少蒙察納，何患於奸不削滅，而養若昭等乎！

夫糾擿奸宄，忠事也，然而世憎小人行之者，以其不顧道理而苟求容進也。若陛下不復考其終始，必以違衆忤世爲奉公，密行白人爲盡節，焉有通人大才而更不能爲此邪？誠顧道理而弗爲耳。使天下皆背道而趨利，則人主之所最病者，陛下將何樂焉，胡不絕其萌乎！夫先意承旨以求容美，

率皆天下淺薄無行義者，其意務在於適人主之心而已，非欲治天下安百姓也。陛下何不試變業而示之，彼豈執其所守以違聖意哉？夫人臣得人主之心，安業也；處尊顯之官，榮事也；食千鍾之祿，厚實也。人臣雖愚，未有不樂此而喜干迕者也，迫於道，自強耳。誠以爲陛下當憐而佑之，少委任焉，如何反録昭等傾側之意，而忽若人者乎？今者外有伺隙之寇，内有貧曠之民，陛下當大計天下之損益，政事之得失，誠不可以怠也。

恕在朝八年，其論議亢直，皆此類也。

出爲弘農太守，數歲轉趙相，以疾去官。起家爲河東太守，歲餘，遷淮北都督護軍，復以疾去。恕所在，務存大體而已，其樹惠愛，益得百姓歡心，不及於畿。頃之，拜御史中丞。恕在朝廷，以不得當世之和，故屢在外任。復出爲幽州刺史，加建威將軍，使持節，護烏丸校尉。時征北將軍程喜屯薊，尚書袁侃等戒恕曰：『程申伯處先帝之世，傾田國讓於青州。足下今俱杖節，使共屯一城，宜深有以待之。』而恕不以爲意。至官未期，有鮮卑大人兒，不由關塞，徑將數十騎詣州，州斬所從來小子一人，無表言上。喜於是劾奏恕，下廷尉，當死。以父畿勤事水死，免爲庶人，徙章武郡，是歲嘉平元年。恕倜儻任意，而思不防患，終致此敗。

初，恕從趙郡還，陳留阮武亦從清河太守徵，俱自薄廷尉。謂恕曰：『相觀才性可以由公道而持之不厲，器能可以處大官而求之不順，才學可以述古今而志之不一，此所謂有其才而無其用。今向閒暇，可試潛思，成一家言。』在章武，遂著《體論》八篇。又著《興性論》一篇，蓋興於爲己也。四年，卒於徙所。

甘露二年，河東樂詳年九十餘，上書訟畿之遺績，朝廷感焉。詔封恕子預爲豐樂亭侯，邑百戶。

恕奏議論駁皆可觀，掇其切世大事著于篇。

鄭渾字文公，河南開封人也。高祖父衆，衆父興，皆爲名儒。渾兄泰，與荀攸等謀誅董卓，爲揚州刺史，卒。渾將泰小子袤避難淮南，袁術賓禮甚厚。渾知術必敗。時華歆爲豫章太守，素與泰善，渾乃渡江投歆。太祖聞其篤行，召爲掾，復遷下蔡長、邵陵令。天下未定，民皆剽輕，不念産殖；其生子無以相活，率皆不舉。渾所在奪其漁獵之具，課使耕桑，又兼開稻田，重去子之法。民初畏罪，後稍豐給，無不舉贍；所育男女，多以鄭爲字。辟爲丞相掾屬，遷左馮翊。

時梁興等略吏民五千餘家爲寇鈔，諸縣不能禦，皆恐懼，寄治郡下。議者悉以爲當移就險，渾曰：『興等破散，竄在山阻。雖有隨者，率脅從耳。今當廣開降路，宣喻恩信。而保險自守，此示弱也。』乃聚斂吏民，治城郭，爲守禦之備。遂發民逐賊，明賞罰，與要誓，其所得獲，十以七賞。百姓大悦，皆願捕賊，多得婦女、財物。賊之失妻子者，皆還求降。渾責其得他婦女，然後還其妻子，於是轉相寇盜，黨與離散。又遣吏民有恩信者，分布山谷告喻，出者相繼，乃使諸縣長吏各還本治以安集之。興等懼，將餘衆聚鄜城。太祖使夏侯淵就助郡擊之，渾率吏民前登，斬興及其支黨。又賊靳富等，脅將夏陽長、邵陵令并其吏民入磑山，渾復討擊破富等，獲二縣長吏，將其所略還。及趙青龍者，殺左内史程休，渾聞，遣壯士就梟其首。前後歸附四千餘家，由是山賊皆平，民安産業。轉爲上

黨太守。

太祖征漢中，以渾爲京兆尹。渾以百姓新集，爲制移居之法，使兼複者與單輕者相伍，温信者與孤老爲比，勤稼穡，明禁令，以發奸者。由是民安於農，而盜賊止息。及大軍入漢中，運轉軍糧爲最。又遣民田漢中，無逃亡者。太祖益嘉之，復入爲丞相掾。文帝即位，爲侍御史，加駙馬都尉，遷陽平、沛郡二太守。郡界下濕，患水澇，百姓飢乏。渾於蕭、相二縣界，興陂遏，開稻田。郡人皆以爲不便，渾曰：『地勢洿下，宜溉灌，終有魚稻經久之利，此豐民之本也。』遂躬率吏民，興立功夫，一冬間皆成。比年大收，頃畝歲增，租入倍常，民賴其利，刻石頌之，號曰鄭陂。轉爲山陽、魏郡太守，其治放此。又以郡下百姓，苦乏材木，乃課樹榆爲籬，並益樹五果；榆皆成藩，五果豐實。入魏郡界，村落齊整如一，民得財足用饒。明帝聞之，下詔稱述，布告天下，遷將作大匠。渾清素在公，妻子不免於飢寒。及卒，以子崇爲郎中。

倉慈字孝仁，淮南人也。始爲郡吏。建安中，太祖開募屯田於淮南，以慈爲綏集都尉。黄初末，爲長安令，清約有方，吏民畏而愛之。太和中，遷燉煌太守。郡在西陲，以喪亂隔絶，曠無太守二十歲，大姓雄張，遂以爲俗。前太守尹奉等，循故而已，無所匡革。慈到，抑挫權右，撫恤貧羸，甚得其理。舊大族田地有餘，而小民無立錐之土；慈皆隨口割賦，稍稍使畢其本直。先是屬城獄訟衆猥，縣不能決，多集治下；慈躬往省閲，料簡輕重，自非殊死，但鞭杖遣之，一歲決刑曾不滿十人。又常日西域雜胡欲來貢獻，而諸豪族多逆斷絶；既與貿遷，欺詐侮易，多不得分明。胡常怨望，慈皆勞之。欲詣洛者，爲封過所，欲從郡還者，官爲平取，輒以府見物與共交市，使吏民護送道路，由是民夷翕然稱其德惠。數年卒官，吏民悲感如喪親戚，圖畫其形，思其遺像。及西域諸胡聞慈死，悉共會聚於戊己校尉及長吏治下發哀，或有以刀畫面，以明血誠，又爲立祠，遥共祠之。

自太祖迄于咸熙，魏郡太守陳國吴瓘、清河太守樂安任燠、京兆太守濟北顔斐、弘農太守太原令狐邵、濟南相魯國孔乂，或哀矜折獄，或推誠惠愛，或治身清白，或擿奸發伏，咸爲良二千石。

評曰：任峻始興義兵，以歸太祖，闢土殖穀，倉庾盈溢，庸績致矣。蘇則威以平亂，既政事之良，又矯矯剛直，風烈足稱。杜畿寬猛克濟，惠以康民。鄭渾、倉慈，恤理有方。抑皆魏代之名守乎！恕屢陳時政，經論治體，蓋有可觀焉。

三國志卷十七

魏書十七

張樂于張徐傳第十七

張遼字文遠，雁門馬邑人也。本聶壹之後，以避怨變姓。少為郡吏。漢末，并州刺史丁原以遼武力過人，召為從事，使將兵詣京都。何進遣詣河北募兵，得千餘人。還，進敗，以兵屬董卓。卓敗，以兵屬呂布，遷騎都尉。布為李傕所敗，從布東奔徐州，領魯相，時年二十八。太祖破呂布於下邳，遼將其眾降，拜中郎將，賜爵關內侯。數有戰功，遷裨將軍。袁紹破，別遣遼定魯國諸縣。與夏侯淵圍昌豨於東海，數月糧盡，議引軍還，遼謂淵曰：「數日已來，每行諸圍，豨輒屬目視遼。又其射矢更稀，此必豨計猶豫，故不力戰。遼欲挑與語，儻可誘也？」乃使謂豨曰：「公有命，使遼傳之。」豨果下與遼語，遼為說「太祖神武，方以德懷四方，先附者受大賞」。豨乃許降。遼遂單身上三公山，入豨家，拜妻子。豨歡喜，隨詣太祖。太祖遣豨還，責遼曰：「此非大將法也。」遼謝曰：「以明公威信著於四海，遼奉聖旨，豨必不敢害故也。」從討袁譚、袁尚於黎陽，有功，行中堅將軍。從攻袁尚於鄴，尚堅守不下。太祖還許，使遼與樂進拔陰安，徙其民河南。復從攻鄴，鄴破，遼別徇趙國、常山，招降緣山諸賊及黑山孫輕等。從攻袁譚，譚破，別將徇海濱，破遼東賊柳毅等。還鄴，太祖自出迎遼，引共載，以遼為盪寇將軍。復別擊荊州，定江夏諸縣，還屯臨潁，封都亭侯。從征袁尚於柳城，卒與虜遇，遼勸太祖戰，氣甚奮，太祖壯之，自以所持麾授遼。遂擊，大破之，斬單于蹋頓。

時荊州未定，復遣遼屯長社。臨發，軍中有謀反者，夜驚亂起火，一軍盡擾。遼謂左右曰：「勿動。是不一營盡反，必有造變者，欲以動亂人耳。」乃令軍中，其不反者安坐。遼將親兵數十人，中陳而立。有頃定，即得首謀者殺之。陳蘭、梅成以氐六縣叛，太祖遣于禁、臧霸等討成，遼督張郃、牛蓋等討蘭。成偽降禁，禁還。成遂將其眾就蘭，轉入灊山。灊中有天柱山，高峻二十餘里，道險狹，步徑裁通，蘭等壁其上。遼欲進，諸將曰：「兵少道險，難用深入。」遼曰：「此所謂一與一，勇者得前耳。」遂進到山下安營，攻之，斬蘭、成首，盡虜其眾。太祖論諸將功，曰：「登天山，履峻險，以取蘭、成，蕩寇功也。」增邑，假節。

太祖既征孫權還，使遼與樂進、李典等將七千餘人屯合肥。太祖征張魯，教與護軍薛悌，署函邊曰「賊至乃發」。俄而權率十萬眾圍合肥，乃共發教，教曰：「若孫權至者，張、李將軍出戰；樂將軍守，護軍勿得與戰。」諸將皆疑。遼曰：「公遠征在外，比救至，彼破我必矣。是以教指及其未合逆擊之，折其盛勢，以安眾心，然後可守也。成敗之機，在此一戰，諸君何疑？」李典亦與遼同。於是遼夜募敢從之士，得八百人，椎牛饗將士，明日大戰。平旦，遼被甲持戟，先登陷陳，殺數十人，斬二將，大呼自名，衝壘入，至權麾下。權大驚，眾不知所為，走登高冢，以長戟自守。遼叱權下戰，權不敢動，望見遼所將眾少，乃聚圍遼數重。遼左右麾圍，直前急擊，圍開，遼將麾下數十人得出，餘眾號呼曰：「將軍棄我乎！」遼復還突圍，拔出餘眾。權人馬皆披靡，無敢當者。自旦戰至日中，吳人奪氣，還修守備，眾心乃安，諸將咸服。權守合肥十餘日，城不可拔，乃引退。遼率諸軍追擊，幾復權。太祖大壯遼，拜征東將軍。建安二十一年，太祖復征孫權，到合肥，循行遼戰處，嘆息者良久。乃增遼兵，多留諸軍，徙屯居巢。

關羽圍曹仁於樊，會權稱藩，召遼及諸軍悉還救仁。遼未至，徐晃已破關羽，仁圍解。遼與太祖會摩陂。遼軍至，太祖乘輦出勞之，還屯陳郡。文帝即王位，轉前將軍。分封兄汎及一子列侯。孫權復叛，遣遼還屯合肥，進遼爵都鄉侯。給遼母輿車，及兵馬送遼家詣屯，敕遼母至，導從出迎。所督諸軍將吏皆羅拜道側，觀者榮之。文帝踐阼，封晉陽侯，增邑千户，并前二千六百户。黄初二年，遼朝洛陽宫，文帝引遼會建始殿，親問破吴意狀。帝嘆息顧左右曰：『此亦古之召虎也。』爲起第舍，又特爲遼母作殿，以遼所從破吴軍應募步卒，皆爲虎賁。孫權復稱藩。遼還屯雍丘，得疾。帝遣侍中劉曄將太醫視疾，虎賁問消息，道路相屬。疾未瘳，帝迎遼就行在所，車駕親臨，執其手，賜以御衣，太官日送御食。疾小差，還屯。孫權復叛，帝遣遼乘舟，與曹休至海陵，臨江。權甚憚焉，敕諸將：『張遼雖病，不可當也，慎之！』是歲，遼與諸將破權將吕範。遼病篤，遂薨于江都。帝爲流涕，謚曰剛侯。子虎嗣。六年，帝追念遼、典在合肥之功，詔曰：『合肥之役，遼、典以步卒八百，破賊十萬，自古用兵，未之有也。使賊至今奪氣，可謂國之爪牙矣。其分遼、典邑各百户，賜一子爵關内侯。』虎爲偏將軍，薨。子統嗣。

樂進字文謙，陽平衛國人也。容貌短小，以膽烈從太祖，爲帳下吏。遣還本郡募兵，得千餘人，還爲軍假司馬、陷陳都尉。從擊吕布於濮陽，張超於雍丘，橋蕤於苦，皆先登有功，封廣昌亭侯。從

征張繡於安衆，圍吕布於下邳，破別將，擊眭固於射犬，攻劉備於沛，皆破之，拜討寇校尉。渡河攻獲嘉，還，從擊袁紹於官渡，力戰，斬紹將淳于瓊。從擊譚、尚於黎陽，斬其大將嚴敬，行游擊將軍。別擊黄巾，破之，定樂安郡。從圍鄴，鄴定，從擊袁譚於南皮，先登，入譚東門。譚敗，別攻雍奴，破之。建安十一年，太祖表漢帝，稱進及于禁、張遼曰：『武力既弘，計略周備，質忠性一，守執節義，每臨戰攻，常爲督率，奮强突固，無堅不陷，自援枹鼓，手不知倦。又遣別征，統御師旅，撫衆則和，奉令無犯，當敵制决，靡有遺失。論功紀用，宜各顯寵。』於是禁爲虎威；進，折衝；遼，盪寇將軍。

進別征高幹，從北道入上黨，回出其後。幹等還守壺關，連戰斬首。幹堅守未下，會太祖自征之，乃拔。太祖征管承，軍淳于，遣進與李典擊之。承破走，逃入海島，海濱平。荆州未服，遣屯陽翟。後從平荆州，留屯襄陽，擊關羽、蘇非等，皆走之，南郡諸郡山谷蠻夷詣進降。又討劉備臨沮長杜普、旌陽長梁大，皆大破之。後從征孫權，假進節。太祖還，留進與張遼、李典屯合肥，增邑五百，并前凡千二百户。以進數有功，分五百户，封一子列侯；進遷右將軍。建安二十三年薨，謚曰威侯。子綝嗣。綝果毅有父風，官至揚州刺史。諸葛誕反，掩襲殺綝，詔悼惜之，追贈衛尉，謚曰愍侯。子肇嗣。

于禁字文則，泰山鉅平人也。黄巾起，鮑信招合徒衆，禁附從焉。及太祖領兖州，禁與其黨俱詣爲都伯，屬將軍王朗。朗異之，薦禁才任大將。太祖召見與語，拜軍司馬，使將兵詣徐州，攻廣威，拔之，拜陷陳都尉。從討吕布於濮陽，別破布二營於城南，又別將破高雅於須昌。從攻壽張、定陶、離

瓚，圍張超於雍丘，拔之。從征黃巾劉辟、黃邵等，屯版梁，邵等夜襲太祖營，禁帥麾下擊破之，斬邵等，盡降其眾。遷平虜校尉。從圍橋蕤於苦，斬蕤等四將。從至宛，降張繡。繡復叛，太祖與戰不利，軍敗，還舞陰。是時軍亂，各間行求太祖，禁獨勒所將數百人，且戰且引，雖有死傷不相離。虜追稍緩，禁徐整行隊，鳴鼓而還。未至太祖所，道見十餘人被創裸走，禁問其故，曰：「為青州兵所劫。」初，黃巾降，號青州兵，太祖寬之，故敢因緣為略。禁怒，令其眾曰：「青州兵同屬曹公，而還為賊乎！」乃討之，數之以罪。青州兵遽走詣太祖自訴。禁既至，先立營壘，不時謁太祖。或謂禁：「青州兵已訴君矣，宜促詣公辨之。」禁曰：「今賊在後，追至無時，不先為備，何以待敵？且公聰明，譖訴何緣！」徐鑿塹安營訖，乃入謁，具陳其狀。太祖悅，謂禁曰：「淯水之難，吾其急也，將軍在亂能整，討暴堅壘，有不可動之節，雖古名將，何以加之！」於是錄禁前後功，封益壽亭侯。復從攻張繡於穰，禽呂布於下邳，別與史渙、曹仁攻眭固於射犬，破斬之。

太祖初征袁紹，紹兵盛，禁願為先登。太祖壯之，乃遣步卒二千人，使禁將，守延津以拒紹，太祖引軍還官渡。劉備以徐州叛，太祖東征之。紹攻禁，禁堅守，紹不能拔。復與樂進等將步騎五千，擊紹別營，從延津西南緣河至汲、獲嘉二縣，焚燒保聚三十餘屯，斬首獲生各數千，降紹將何茂、王摩等二十餘人。太祖復使禁別將屯原武，擊紹別營於杜氏津，破之。遷裨將軍，後從還官渡。太祖與紹連營，起土山相對。紹射營中，士卒多死傷，軍中懼。禁督守土山，力戰，氣益奮。紹破，遷偏將軍。冀州平。昌豨復叛，遣禁征之。禁急進攻豨；豨與禁有舊，詣禁降。諸將皆以為豨已降，當送

詣太祖，禁曰：「諸君不知公常令乎！圍而後降者不赦。夫奉法行令，事上之節也。豨雖舊友，禁可失節乎！」自臨與豨決，隕涕而斬之。是時太祖軍淳于，聞而歎曰：「豨降不詣吾而歸禁，豈非命耶！」益重禁。東海平，拜禁虎威將軍。後與臧霸等攻梅成，張遼、張郃等討陳蘭。禁到，成舉眾三千餘人降。既降復叛，其眾奔蘭。遼等與蘭相持，軍食少，禁運糧前後相屬，遼遂斬蘭、成。增邑二百戶，并前千二百戶。是時，禁與張遼、樂進、張郃、徐晃俱為名將，太祖每征伐，咸遞行為軍鋒，還為後拒；而禁持軍嚴整，得賊財物，無所私入，由是賞賜特重。然以法御下，不甚得士眾心。太祖常恨朱靈，欲奪其營。以禁有威重，遣禁將數十騎，齎令書，徑詣靈營奪其軍，靈及其部眾莫敢動；乃以靈為禁部下督，眾皆震服，其見憚如此。遷左將軍，假節鉞，分邑五百戶，封一子列侯。

建安二十四年，太祖在長安，使曹仁討關羽於樊，又遣禁助仁。秋，大霖雨，漢水溢，平地水數丈，禁等七軍皆沒。禁與諸將登高望水，無所回避，羽乘大船就攻禁等，禁遂降，惟龐德不屈節而死。太祖聞之，哀歎者久之，曰：「吾知禁三十年，何意臨危處難，反不如龐德邪！」會孫權禽羽，獲其眾，禁復在吳。文帝踐阼，權稱藩，遣禁還。帝引見禁，鬚髮皓白，形容憔悴，泣涕頓首。帝慰諭以荀林父、孟明視故事，拜為安遠將軍。欲遣使吳，先令北詣鄴謁高陵。帝使豫於陵屋畫關羽戰克、龐德憤怒、禁降服之狀。禁見，慚恚發病薨。子圭嗣封益壽亭侯。謚禁曰厲侯。

張郃字儁乂，河間鄚人也。漢末應募討黃巾，為軍司馬，屬韓馥。馥敗，以兵歸袁紹。紹以郃為校尉，使拒公孫瓚。瓚破，郃功多，遷寧國中郎將。太祖與袁紹相拒於官渡，紹遣將淳于瓊等督運屯

烏巢，太祖自將急擊之。郃説紹曰：『曹公兵精，往必破瓊等；瓊等破，則將軍事去矣，宜急引兵救之。』郭圖曰：『郃計非也。不如攻其本營，勢必還，此爲不救而自解也。』郃曰：『曹公營固，攻之必不拔，若瓊等見禽，吾屬盡爲虜矣。』紹但遣輕騎救瓊，而以重兵攻太祖營，不能下。太祖果破瓊等，紹軍潰。圖慚，又更譖郃曰：『郃快軍敗，出言不遜。』郃懼，乃歸太祖。

太祖得郃甚喜，謂曰：『昔子胥不早寤，自使身危，豈若微子去殷、韓信歸漢邪？』拜郃偏將軍，封都亭侯。授以衆，從攻鄴，拔之。又從擊袁譚於渤海，別將軍圍雍奴，大破之。從討柳城，與張遼俱爲軍鋒，以功遷平狄將軍。別征東萊，討管承，又與張遼討陳蘭、梅成等，破之。從破馬超、韓遂於渭南。圍安定，降楊秋。與夏侯淵討鄜賊梁興及武都氐。又破馬超，平宋建。太祖征張魯，先遣郃督諸軍討興和氐王竇茂。太祖從散關入漢中，又先遣郃督步卒五千於前通路。至陽平，魯降，太祖還，留郃與夏侯淵等守漢中，拒劉備。郃別督諸軍，降巴東、巴西二郡，徙其民於漢中。進軍宕渠，爲備將張飛所拒，引還南鄭。拜蕩寇將軍。劉備屯陽平，郃屯廣石。備以精卒萬餘，分爲十部，夜急攻郃。郃率親兵搏戰，備不能克。其後備於走馬谷燒都圍，淵救火，從他道與備相遇，交戰，短兵接刃。淵遂没，郃還陽平。當是時，新失元帥，恐爲備所乘，三軍皆失色。淵司馬郭淮乃令衆曰：『張將軍，國家名將，劉備所憚；今日事急，非張將軍不能安也。』遂推郃爲軍主。郃出，勒兵安陳，諸將皆受郃節度，衆心乃定。太祖在長安，遣使假郃節。太祖遂自至漢中，劉備保高山不敢戰。太祖乃引出漢中諸軍，郃還屯陳倉。

文帝即王位，以郃爲左將軍，進爵都鄉侯。及踐阼，進封鄚侯。詔郃與曹真討安定盧水胡及東羌，召郃與真並朝許宮，遣南與夏侯尚擊江陵。郃別督諸軍渡江，取洲上屯塢。明帝即位，遣南屯荆州，與司馬宣王擊孫權別將劉阿等，追至祁口，交戰，破之。諸葛亮出祁山。加郃位特進，遣督諸軍，拒亮將馬謖於街亭。謖依阻南山，不下據城。郃絶其汲道，擊，大破之。南安、天水、安定郡反應亮，郃皆破平之。詔曰：『賊亮以巴蜀之衆，當虓虎之師。將軍被堅執鋭，所向克定，朕甚嘉之。益邑千户，并前四千三百户。』司馬宣王治水軍於荆州，欲順沔入江伐吴，詔郃督關中諸軍往受節度。至荆州，會冬水淺，大船不得行，乃還屯方城。諸葛亮復出，急攻陳倉，帝驛馬召郃到京都。帝自幸河南城，置酒送郃，遣南北軍士三萬及分遣武衛、虎賁使衛郃，因問郃曰：『遲將軍到，亮得無已得陳倉乎！』郃知亮縣軍無穀，不能久攻，對曰：『比臣未到，亮已走矣。』屈指計亮糧不至十日。郃晨夜進至南鄭，亮退。詔郃還京都，拜征西車騎將軍。

郃識變數，善處營陳，料戰勢地形，無不如計，自諸葛亮皆憚之。郃雖武將而愛樂儒士，嘗薦同鄉卑湛經明行修，詔曰：『昔祭遵爲將，奏置五經大夫，居軍中，與諸生雅歌投壺。今將軍外勒戎旅，内存國朝。朕嘉將軍之意，今擢湛爲博士。』

諸葛亮復出祁山，詔郃督諸將西至略陽，亮還保祁山，郃追至木門，與亮軍交戰，飛矢中郃右膝，薨，謚曰壯侯。子雄嗣。郃前後征伐有功，明帝分郃户，封郃四子列侯。賜小子爵關内侯。

徐晃字公明，河東楊人也。爲郡吏，從車騎將軍楊奉討賊有功，拜騎都尉。李傕、郭汜之亂長安

也，晃說奉，令與天子還洛陽，奉從其計。天子渡河至安邑，封晃都亭侯。及到洛陽，韓暹、董承日爭鬭，晃說奉令歸太祖；奉欲從之，後悔。太祖討奉於梁，晃遂歸太祖。

太祖授晃兵，使擊卷、原武賊，破之，拜裨將軍。從征呂布，別降布將趙庶、李鄒等。與史渙斬眭固於河內。從破劉備，又從破顏良，拔白馬，進至延津，破文醜，拜偏將軍。與曹洪擊濦彊賊祝臂，破之，又與史渙擊袁紹運車於故市，功最多，封都亭侯。太祖既圍鄴，破邯鄲，易陽令韓範僞以城降而拒守，太祖遣晃攻之。晃至，飛矢城中，爲陳成敗。範悔，晃輒降之。既而言於太祖曰：『二袁未破，諸城未下者傾耳而聽，今日滅易陽，明日皆以死守，恐河北無定時也。願公降易陽以示諸城，則莫不望風。』太祖善之。別討毛城，設伏兵掩擊，破三屯。從破袁譚於南皮，討平原叛賊，克之。從征蹋頓，拜橫野將軍。從征荆州，別屯樊，討中廬、臨沮、宜城賊。又與滿寵討關羽於漢津，與曹仁擊周瑜於江陵。十五年，討太原反者，圍大陵，拔之，斬賊帥商曜。韓遂、馬超等反關右，遣晃屯汾陰以撫河東，賜牛酒，令上先人墓。太祖至潼關，恐不得渡，召問晃。晃曰：『公盛兵於此，而賊不復別守蒲阪，知其無謀也。今假臣精兵渡蒲坂津，爲軍先置，以截其裹，賊可擒也。』太祖曰：『善。』使晃以步騎四千人渡津。作塹柵未成，賊梁興夜將步騎五千餘人攻晃，晃擊走之，太祖軍得渡。遂破超等，使晃與夏侯淵平隃麋、汧諸氏，與太祖會安定。太祖還鄴，使晃與夏侯淵平鄜、夏陽餘賊，斬梁興，降三千餘户。從征張魯。別遣晃討攻櫝、仇夷諸山氏，皆降之。遷平寇將軍。解將軍張順圍。擊賊陳福等三十餘屯，皆破之。

太祖還鄴，留晃與夏侯淵拒劉備於陽平。備遣陳式等十餘營絶馬鳴閣道，晃別征破之，賊自投山谷，多死者。太祖聞，甚喜，假晃節，令曰：『此閣道，漢中之險要咽喉也。劉備欲斷絶外内，以取漢中。將軍一舉，克奪賊計，善之善者也。』太祖遂自至陽平，引出漢中諸軍。復遣晃助曹仁討關羽，屯宛。會漢水暴溢，于禁等没。羽圍仁於樊，又圍將軍呂常於襄陽。晃所將多新卒，以羽難與爭鋒，遂前至陽陵陂屯。太祖復還，遣將軍徐商、呂建等詣晃，令曰：『須兵馬集至，乃俱前。』賊屯偃城。晃到，詭道作都塹，示欲截其後，賊燒屯走。晃得偃城，兩面連營，稍前，去賊圍三丈所。未攻，太祖前後遣殷署、朱蓋等凡十二營詣晃。賊圍頭有屯，又別屯四冢。晃揚聲當攻圍頭屯，而密攻四冢。羽見四冢欲壞，自將步騎五千出戰，晃擊之，退走，遂追陷與俱入圍，破之，或自投沔水死。太祖令曰：『賊圍塹鹿角十重，將軍致戰全勝，遂陷賊圍，多斬首虜。吾用兵三十餘年，及所聞古之善用兵者，未有長驅徑入敵圍者也。且樊、襄陽之在圍，過於莒、即墨，將軍之功，踰孫武、穰苴。』晃振旅還摩陂，太祖迎晃七里，置酒大會。太祖舉卮酒勸晃，且勞之曰：『全樊、襄陽，將軍之功也。』時諸軍皆集，太祖案行諸營，士卒咸離陳觀，而晃軍營整齊，將士駐陳不動。太祖嘆曰：『徐將軍可謂有周亞夫之風矣。』

文帝即王位，以晃爲右將軍，進封逯鄉侯。及踐阼，進封楊侯。與夏侯尚討劉備於上庸，破之。以晃鎮陽平，徙封陽平侯。明帝即位，拒吳將諸葛瑾於襄陽。增邑二百，并前三千一百户。病篤，遺令斂以時服。

性儉約畏愼，將軍常遠斥侯，先爲不可勝，然後戰，追奔爭利，士不暇食。常嘆曰：『古人患不遭明君，今幸遇之，常以功自效，何用私譽爲！』終不廣交援。太和元年薨，謚曰壯侯。子蓋嗣。蓋薨，子霸嗣。明帝分晃户，封晃子孫二人列侯。

初，清河朱靈爲袁紹將。太祖之征陶謙，紹使靈督三營助太祖，戰有功。紹所遣諸將各罷歸，靈曰：『靈觀人多矣，無若曹公者，此乃真明主也。今已遇，復何之？』遂留不去。所將士卒慕之，皆隨靈留。靈後遂爲好將，名亞晃等，至後將軍，封高唐亭侯。

評曰：太祖建茲武功，而時之良將，五子爲先。于禁最號毅重，然弗克其終。張郃以巧變爲稱，樂進以驍果顯名，而鑒其行事，未副所聞。或注記有遺漏，未如張遼、徐晃之備詳也。

三國志卷十八

魏書十八

二李臧文吕許典二龐閻傳第十八

李典字曼成，山陽鉅野人也。典從父乾，有雄氣，合賓客數千家在乘氏。初平中，以衆隨太祖，破黄巾於壽張，又從擊袁術，征徐州。吕布之亂，太祖遣乾還乘氏，慰勞諸縣。布别駕薛蘭、治中李封招乾，欲俱叛，乾不聽，遂殺乾。太祖使乾子整將乾兵，與諸將擊蘭、封。蘭、封破，從平兗州諸縣有功，稍遷青州刺史。整卒，典徙潁陰令，爲中郎將，將整軍，遷離狐太守。

時太祖與袁紹相拒官渡，典率宗族及部曲輸穀帛供軍。紹破，以典爲裨將軍，屯安民。太祖擊譚、尚於黎陽，使典與程昱等以船運軍糧。會尚遣魏郡太守高蕃將兵屯河上，絶水道，太祖敕典、昱：「若船不得過，下從陸道。」典與諸將議曰：「蕃軍少甲而恃水，有懈怠之心，擊之必克。軍不内御；苟利國家，專之可也，宜亟擊之。」昱亦以爲然。遂北渡河，攻蕃，破之，水道得通。劉表使劉備北侵，至葉，太祖遣典從夏侯惇拒之。備一旦燒屯去，惇率諸軍追擊之，典曰：「賊無故退，疑必有伏。南道狹窄，草木深，不可追也。」惇不聽，與于禁追之，典留守。惇等果入賊伏裏，戰不利，典往救，備望見救至，乃散退。從圍鄴，鄴定，與樂進圍高幹於壺關，擊管承於長廣，皆破之。遷捕虜將軍，封都亭侯。典宗族部曲三千餘家，居乘氏，自請願徙詣魏郡。太祖笑曰：「卿欲慕耿純邪？」典謝曰：「典駑怯功微，而爵寵過厚，誠宜舉宗陳力；加以征伐未息，宜實郊遂之内，以制四方，非慕純也。」遂徙部曲宗族萬三千餘口居鄴。太祖嘉之，遷破虜將軍。與張遼、樂進屯合肥，孫權率衆圍之，遼欲奉教出戰。進、典、遼皆素不睦，遼恐其不從，典慨然曰：「此國家大事，顧君計何如耳，吾可以私憾而忘公義乎！」乃率衆與遼破走權。增邑百户，并前三百户。

典好學問，貴儒雅，不與諸將争功。敬賢士大夫，恂恂若不及，軍中稱其長者。年三十六薨，子禎嗣。文帝踐阼，追念合肥之功，增禎邑百户，賜典一子爵關内侯，邑百户；謚典曰愍侯。

李通字文達，江夏平春人也。以俠聞於江、汝之間。與其郡人陳恭共起兵於朗陵，衆多歸之。時有周直者，衆二千餘家，與恭、通外和内違。通欲圖殺直而恭難之。通知恭無斷，乃獨定策，與直克會，酒酣殺直。衆人大擾，通率恭誅其黨帥，盡并其營。後恭妻弟陳郃，殺恭而據其衆。通攻破郃軍，斬郃首以祭恭墓。又生禽黄巾大帥吴霸而降其屬。遭歲大饑，通傾家振施，與士分糟糠，皆争爲用，由是盜賊不敢犯。

建安初，通舉衆詣太祖於許。拜通振威中郎將，屯汝南西界。太祖討張繡，劉表遣兵以助繡，太祖軍不利。通將兵夜詣太祖，太祖得以復戰，通爲先登，大破繡軍。拜裨將軍，封建功侯。分汝南二縣，以通爲陽安都尉。通妻伯父犯法，朗陵長趙儼收治，致之大辟。是時殺生之柄，決於牧守，通妻子號泣以請其命。通曰：「方與曹公戮力，義不以私廢公。」嘉儼執憲不阿，與爲親交。太祖與袁紹相拒於官渡。紹遣使拜通征南將軍，劉表亦陰招之，通皆拒焉。通親戚部曲流涕曰：「今孤危獨守，以失大援，亡可立而待也，不如亟從紹。」通按劍以叱之曰：「曹公明哲，必定天下。紹雖强盛，而任

使無方，終爲之虜耳。吾以死不貳。』即斬紹使，送印綬詣太祖。又擊郡賊瞿恭、江宫、沈成等，皆破殘其衆，送其首。遂定淮、汝之地。改封都亭侯，拜汝南太守。時賊張赤等五千餘家聚桃山，通攻破之。劉備與周瑜圍曹仁於江陵，别遣關羽絶北道。通率衆擊之，下馬拔鹿角入圍，且戰且前，以迎仁軍，勇冠諸將。通道得病薨，時年四十二。追增邑二百户，并前四百户。文帝踐阼，謚曰剛侯。詔曰：『昔袁紹之難，自許、蔡以南，人懷異心。通秉義不顧，使携貳率服，朕甚嘉之。不幸早薨，子基雖已襲爵，未足酬其庸勳。基兄緒，前屯樊城，又有功。世篤其勞，其以基爲奉義中郎將，緒平虜中郎將，以寵異焉。』

臧霸字宣高，泰山華人也。父戒，爲縣獄掾，據法不聽太守欲所私殺。太守大怒，令收戒詣府，時送者百餘人。霸年十八，將客數十人徑於費西山中要奪之，送者莫敢動，因與父俱亡命東海，由是以勇壯聞。黄巾起，霸從陶謙擊破之，拜騎都尉。遂收兵於徐州，與孫觀、吴敦、尹禮等並聚衆，霸爲帥，屯於開陽。太祖之討吕布也，霸等將兵助布。既禽布，霸自匿。太祖募索得霸，見而悦之，使霸招吴敦、尹禮、孫觀、觀兄康等，皆詣太祖。太祖以霸爲琅邪相，敦利城、禮東莞、觀北海、康城陽太守，割青、徐二州，委之於霸。太祖之在兖州，以徐翕、毛暉爲將。兖州亂，翕、暉皆叛。後兖州定，翕、暉亡命投霸。太祖語劉備，令語霸送二人首。霸謂備曰：『霸所以能自立者，以不爲此也。霸受公生全之恩，不敢違命。然王霸之君可以義告，願將軍爲之辭。』備以霸言白太祖，太祖嘆息，謂霸曰：『此古人之事而君能行之，孤之願也。』乃皆以翕、暉爲郡守。時太祖方與袁紹相拒，而霸數以精兵入青州，故太祖得專事紹，不以東方爲念。太祖破袁譚於南皮，霸等會賀。霸因求遣子弟及諸將父兄家屬詣鄴，太祖曰：『諸君忠孝，豈復在是！昔蕭何遣子弟入侍，而高祖不拒，耿純焚室輿櫬以從，而光武不逆，吾將何以易之哉！』東州擾攘，霸等執義征暴，清定海岱，功莫大焉，皆封列侯。霸爲都亭侯，加威虜將軍。又與于禁討昌豨，與夏侯淵討黄巾餘賊徐和等，有功，遷徐州刺史。沛國武周爲下邳令，霸敬異周，身詣令舍。部從事謥詷不法，周得其罪，便收考竟，霸益以善周。從討孫權，先登，再入巢湖，攻居巢，破之。張遼之討陳蘭，霸别遣至皖，討吴將韓當，使權不得救蘭。當遣兵逆霸，霸與戰於逢龍，當復遣兵邀霸於夾石，與戰破之，還屯舒。權遣數萬人乘船屯舒口，分兵救蘭，聞霸軍在舒，遁還。霸夜追之，比明，行百餘里，邀賊前後擊之。賊窘急，不得上船，赴水者甚衆。由是賊不得救蘭，遼遂破之。霸從討孫權於濡須口，與張遼爲前鋒，行遇霖雨，大軍先及，水遂長，賊船稍進，將士皆不安。遼欲去，霸止之曰：『公明於利鈍，寧肯捐吾等邪？』明日果有令。遼至，以語太祖。太祖善之，拜揚威將軍，假節。後權乞降，太祖還，留霸與夏侯惇等屯居巢。

文帝即王位，遷鎮東將軍，進爵武安鄉侯，都督青州諸軍事。及踐阼，進封開陽侯，徙封良成侯。與曹休討吴賊，破吕範於洞浦，徵爲執金吾，位特進。每有軍事，帝常咨訪焉。明帝即位，增邑五百，并前三千五百户。薨，謚曰威侯。子艾嗣。艾官至青州刺史、少府。艾薨，謚曰恭侯。子權嗣。霸前後有功，封子三人列侯，賜一人爵關内侯。

而孫觀亦至青州刺史，假節，從太祖討孫權，戰被創，薨。子毓嗣，亦至青州刺史。

文聘字仲業，南陽宛人也，爲劉表大將，使禦北方。表死，其子琮立。太祖征荆州，琮舉州降，呼聘欲與俱，聘曰：『聘不能全州，當待罪而已。』太祖濟漢，聘乃詣太祖，太祖問曰：『來何遲邪？』聘曰：『先日不能輔弼劉荆州以奉國家，荆州雖没，常願據守漢川，保全土境，生不負於孤弱，死無愧於地下，而計不得已，以至於此。實懷悲慚，無顔早見耳。』遂欷歔流涕。太祖爲之愴然，曰：『仲業，卿真忠臣也。』厚禮待之。授聘兵，使與曹純追討劉備於長阪。太祖先定荆州，江夏與吴接，民心不安，乃以聘爲江夏太守，使典北兵，委以邊事，賜爵關内侯。與樂進討關羽於尋口，有功，進封延壽亭侯，加討逆將軍。又攻羽輜重於漢津，燒其船於荆城。文帝踐阼，進爵長安鄉侯，假節。與夏侯尚圍江陵，使聘别屯沔口，止石梵，自當一隊，禦賊有功，遷後將軍，封新野侯。孫權以五萬衆自圍聘於石陽，甚急，聘堅守不動，權住二十餘日乃解去。聘追擊破之。增邑五百户，并前千九百户。

聘在江夏數十年，有威恩，名震敵國，賊不敢侵。分聘户邑封聘子岱爲列侯，又賜聘從子厚爵關内侯。聘薨，謚曰壯侯。岱又先亡，聘養子休嗣。卒，子武嗣。

嘉平中，譙郡桓禺爲江夏太守，清儉有威惠，名亞於聘。

吕虔字子恪，任城人也。太祖在兖州，聞虔有膽策，以爲從事，將家兵守湖陸。襄賁校尉杜松部民炅母等作亂，與昌豨通。太祖以虔代松。虔到，招誘炅母渠率及同惡數十人，賜酒食。簡壯士伏其側，虔察炅母等皆醉，使伏兵盡格殺之。撫其餘衆，群賊乃平。太祖以虔領泰山太守。郡接山海，世亂，聞民人多藏竄。袁紹所置中郎將郭祖、公孫犢等數十輩，保山爲寇，百姓苦之。虔將家兵到

郡，開恩信，祖等黨屬皆降服，諸山中亡匿者盡出安土業。簡其强者補戰士，泰山由是遂有精兵，冠名州郡。濟南黄巾徐和等，所在劫長吏，攻城邑。虔引兵與夏侯淵會擊之，前後數十戰，斬首獲生數千人。太祖使督青州諸郡兵以討東萊群賊李條等，有功。太祖令曰：『夫有其志，必成其事，蓋烈士之所徇也。卿在郡以來，禽奸討暴，百姓獲安，躬蹈矢石，所征輒克。昔寇恂立名於汝、潁，耿弇建策於青、兖，古今一也。』舉茂才，加騎都尉，典郡如故。虔在泰山十數年，甚有威惠。文帝即王位，加裨將軍，封益壽亭侯，遷徐州刺史，加威虜將軍。請琅邪王祥爲别駕，民事一以委之，世多其能任賢。討利城叛賊，斬獲有功。明帝即位，徙封萬年亭侯，增邑二百，并前六百户。虔薨，子翻嗣。翻薨，子桂嗣。

許褚字仲康，譙國譙人也。長八尺餘，腰大十圍，容貌雄毅，勇力絶人。漢末，聚少年及宗族數千家，共堅壁以禦寇。時汝南葛陂賊萬餘人攻褚壁，褚衆少不敵，力戰疲極。兵矢盡，乃令壁中男女，聚治石如杅斗者置四隅。褚飛石擲之，所值皆摧碎。賊不敢進。糧乏，僞與賊和，以牛與賊易食，賊來取牛，牛輒奔還。褚乃出陳前，一手逆曳牛尾，行百餘步。賊衆驚，遂不敢取牛而走。由是淮、汝、陳、梁間，聞皆畏憚之。

太祖徇淮、汝，褚以衆歸太祖。太祖見而壯之曰：『此吾樊噲也。』即日拜都尉，引入宿衛。諸從褚俠客，皆以爲虎士。從征張繡，先登，斬首萬計，遷校尉。從討袁紹於官渡。時常從士徐他等謀爲逆，以褚常侍左右，憚之不敢發。伺褚休下日，他等懷刀入。褚至下舍心動，即還侍。他等不知，

入帳見褚，大驚愕。他色變，褚覺之，即擊殺他等。太祖益親信之，出入同行，不離左右。從圍鄴，力戰有功，賜爵關内侯。從討韓遂、馬超於潼關。太祖將北渡，臨濟河，先渡兵，獨與褚及虎士百餘人留南岸斷後。超將步騎萬餘人，來奔太祖軍，矢下如雨。褚白太祖，賊來多，今兵渡已盡，宜去，乃扶太祖上船。賊戰急，軍爭濟，船重欲没。褚斬攀船者，左手舉馬鞍蔽太祖。船工爲流矢所中死，褚右手並泝船，僅乃得渡。是日，微褚幾危。其後太祖與遂、超等單馬會語，左右皆不得從，唯將褚。超負其力，陰欲前突太祖，素聞褚勇，疑從騎是褚。乃問太祖曰：『公有虎侯者安在？』太祖顧指褚，褚瞋目盼之。超不敢動，乃各罷。後數日會戰，大破超等，褚身斬首級，遷武衛中郎將。武衛之號，自此始也。軍中以褚力如虎而痴，故號曰虎痴；是以超問虎侯，至今天下稱焉，皆謂其姓名也。

褚性謹慎奉法，質重少言。曹仁自荆州來朝謁，太祖未出，入與褚相見於殿外。仁呼褚入便坐語，褚曰：『王將出。』便還入殿，仁意恨之。或以責褚曰：『征南宗室重臣，降意呼君，君何故辭？』褚曰：『彼雖親重，外藩也。褚備内臣，衆談足矣，入室何私乎？』太祖聞，愈愛待之，遷中堅將軍。太祖崩，褚號泣歐血。文帝踐阼，進封萬歲亭侯，遷武衛將軍，都督中軍宿衛禁兵，甚親近焉。初，褚所將爲虎士者從征伐，太祖以爲皆壯士也，同日拜爲將，其後以功爲將軍封侯者數十人，都尉、校尉百餘人，皆劍客也。明帝即位，進封牟鄉侯，邑七百户，賜子爵一人關内侯。褚薨，謚曰壯侯。子儀嗣。褚兄定，亦以軍功爲振威將軍，都督徼道虎賁。太和中，帝思褚忠孝，下詔褒贊，復賜褚子孫二人爵關内侯。儀爲鍾會所殺。泰始初，子綜嗣。

典韋，陳留己吾人也。形貌魁梧，旅力過人，有志節任俠。襄邑劉氏與睢陽李永爲讎，韋爲報之。永故富春長，備衛甚謹。韋乘車載鷄酒，僞爲候者，門開，懷匕首入殺永，并殺其妻，徐出，取車上刀戟，步去。永居近市，一市盡駭。追者數百，莫敢近。行四五里，遇其伴，轉戰得脱。由是爲豪傑所識。初平中，張邈舉義兵，韋爲士，屬司馬趙寵。牙門旗長大，人莫能勝，韋一手建之，寵異其才力。後屬夏侯惇，數斬首有功，拜司馬。太祖討呂布於濮陽。布有别屯在濮陽西四五十里，太祖夜襲，比明破之。未及還，會布救兵至，三面掉戰。時布身自搏戰，自旦至日昳數十合，相持急。太祖募陷陳，韋先占，將應募者數十人，皆重衣兩鎧，棄楯，但持長矛撩戟。時西面又急，韋進當之，賊弓弩亂發，矢至如雨，韋不視，謂等人曰：『虜來十步，乃白之。』等人曰：『十步矣。』又曰：『五步乃白。』等人懼，疾言『虜至矣』！韋手持十餘戟，大呼起，所抵無不應手倒者。布衆退。會日暮，太祖乃得引去。拜韋都尉，引置左右，將親兵數百人，常繞大帳。韋既壯武，其所將皆選卒，每戰鬭，常先登陷陳。遷爲校尉。性忠至謹重，常晝立侍終日，夜宿帳左右，稀歸私寢。好酒食，飲啖兼人，每賜食於前，大飲長歠，左右相屬，數人益乃供，太祖壯之。韋好持大雙戟與長刀等，軍中爲之語曰：『帳下壯士有典君，提一雙戟八十斤。』

太祖征荆州，至宛，張繡迎降。太祖甚悦，延繡及其將帥，置酒高會。太祖行酒，韋持大斧立後，刃徑尺，太祖所至之前，韋輒舉斧目之。竟酒，繡及其將帥莫敢仰視。後十餘日，繡反，襲太祖營，太祖出戰不利，輕騎引去。韋戰於門中，賊不得入。兵遂散從他門並入。時韋校尚有十餘人，皆殊死

戰，無不一當十。賊前後至稍多，韋以長戟左右擊之，一叉入，輒十餘矛摧。左右死傷者略盡。韋被數十創，短兵接戰，賊前搏之。韋雙挾兩賊擊殺之，餘賊不敢前。韋復前突賊，殺數人，創重發，瞋目大罵而死。賊乃敢前，取其頭，傳觀之，覆軍就視其軀。太祖退住舞陰，聞韋死，爲流涕，募間取其喪，親自臨哭之，遣歸葬襄邑，拜子滿爲郎中。車駕每過，常祠以中牢。太祖思韋，拜滿爲司馬，引自近。文帝即王位，以滿爲都尉，賜爵關内侯。

龐悳字令明，南安狟道人也。少爲郡吏州從事。初平中，從馬騰擊反羌叛氐。數有功，稍遷至校尉。建安中，太祖討袁譚、尚於黎陽，譚遣郭援、高幹等略取河東，太祖使鍾繇率關中諸將討之。悳隨騰子超拒援、幹於平陽，悳爲軍鋒，進攻援、幹，大破之，親斬援首。拜中郎將，封都亭侯。後張白騎叛於弘農，悳復隨騰征之，破白騎於兩殽間。每戰，常陷陳却敵，勇冠騰軍。後騰徵爲衛尉，悳留屬超。太祖破超於渭南，悳隨超亡入漢陽，保冀城。後復隨超奔漢中，從張魯。太祖定漢中，悳隨衆降。太祖素聞其驍勇，拜立義將軍，封關門亭侯，邑三百户。

侯音、衛開等以宛叛，悳將所領與曹仁共攻拔宛，斬音、開，遂南屯樊，討關羽。樊下諸將以悳兄在漢中，頗疑之。悳常曰：『我受國恩，義在效死。我欲身自擊羽。今年我不殺羽，羽當殺我。』後親與羽交戰，射羽中額。時悳常乘白馬，羽軍謂之白馬將軍，皆憚之。仁使悳屯樊北十里，會天霖雨十餘日，漢水暴溢，樊下平地五六丈，悳與諸將避水上堤。羽乘船攻之，以大船四面射堤上。悳被甲持弓，箭不虚發。將軍董衡、部曲將董超等欲降，悳皆收斬之。自平旦力戰至日過中，羽攻益急，

矢盡，短兵接戰。悳謂督將成何曰：『吾聞良將不怯死以苟免，烈士不毁節以求生，今日，我死日也。』戰益怒，氣愈壯，而水浸盛，吏士皆降。悳與麾下將一人，五伯二人，彎弓傅矢，乘小船欲還仁營。水盛船覆，失弓矢，獨抱船覆水中，爲羽所得，立而不跪。羽謂曰：『卿兄在漢中，我欲以卿爲將，不早降何爲？』悳罵羽曰：『竪子，何謂降也！魏王帶甲百萬，威振天下。汝劉備庸才耳，豈能敵邪！我寧爲國家鬼，不爲賊將也。』遂爲羽所殺。太祖聞而悲之，爲之流涕，封其二子爲列侯。文帝即王位，乃遣使就悳墓賜謚，策曰：『昔先軫喪元，王蠋絶脰，隕身徇節，前代美之。惟侯式昭果毅，蹈難成名，聲溢當時，義高在昔，寡人愍焉，謚曰壯侯。』又賜子會等四人爵關内侯，邑各百户。會勇烈有父風，官至中尉將軍，封列侯。

龐淯字子異，酒泉表氏人也。初以凉州從事守破羌長，會武威太守張猛反，殺刺史邯鄲商，猛令曰：『敢有臨商喪，死不赦。』淯聞之，棄官，晝夜奔走，號哭喪所訖，詣猛門，衷匕首，欲因見以殺猛。猛知其義士，敕遣不殺，由是以忠烈聞。太守徐揖請爲主簿。後郡人黄昂反，圍城。淯棄妻子，夜踰城出圍，告急於張掖、燉煌二郡。初疑未肯發兵，淯欲伏劍，二郡感其義，遂爲興兵。軍未至而郡城邑已陷，揖死。淯乃收斂揖喪，送還本郡，行服三年乃還。太祖聞之，辟爲掾屬。文帝踐阼，拜駙馬都尉，遷西海太守，賜爵關内侯。後徵拜中散大夫，薨。子曾嗣。

初，淯外祖父趙安爲同縣李壽所殺，淯舅兄弟三人同時病死，壽家喜。淯母娥自傷父讎不報，乃幃車袖劍，白日刺壽於都亭前，訖，徐詣縣，顔色不變，曰：『父讎已報，請受戮。』禄福長尹嘉解

印綬縱娥，娥不肯去，遂强載還家。會赦得免，州郡嘆貴，刊石表閭。

閻温字伯儉，天水西城人也。以凉州别駕守上邽令。馬超走奔上邽，郡人任養等舉衆迎之。温止之，不能禁，乃馳還州。超復圍州所治冀城甚急，州乃遣温密出，告急於夏侯淵。賊圍數重，温夜從水中潛出。明日，賊見其迹，遣人追遮之，於顯親界得温，執還詣超。超解其縛，謂曰：『今成敗可見，足下爲孤城請救而執於人手，義何所施？若從吾言，反謂城中，東方無救，此轉禍爲福之計也。不然，今爲戮矣。』温僞許之，超乃載温詣城下。温向城大呼曰：『大軍不過三日至，勉之！』城中皆泣，稱萬歲。超怒數之曰：『足下不爲命計邪？』温不應。時超攻城久不下，故徐誘温，冀其改意。復謂温曰：『城中故人，有欲與吾同者不？』温又不應。遂切責之，温曰：『夫事君有死無貳，而卿乃欲令長者出不義之言，吾豈苟生者乎？』超遂殺之。

先是，河右擾亂，隔絶不通，燉煌太守馬艾卒官，府又無丞。功曹張恭素有學行，郡人推行長史事，恩信甚著，乃遣子就東詣太祖，請太守。時酒泉黄華、張掖張進各據其郡，欲與恭并勢。就至酒泉，爲華所拘執，劫以白刃。就終不回，私與恭疏曰：『大人率厲燉煌，忠義顯然，豈以就在困厄之中而替之哉？昔樂羊食子，李通覆家，經國之臣，寧懷妻孥邪？今大軍垂至，但當促兵以掎之耳；願不以下流之愛，使就有恨於黄壤也。』恭即遣從弟華攻酒泉沙頭、乾齊二縣。恭又連兵尋繼華後，以爲首尾之援。别遣鐵騎二百，迎吏官屬，東緣酒泉北塞，徑出張掖北河，逢迎太守尹奉。於是張進須黄華之助；華欲救進，西顧恭兵，恐急擊其後，遂詣金城太守蘇則降。就竟平安。奉得之官。黄初二年，下詔褒揚，賜恭爵關内侯，拜西域戊己校尉。數歲徵還，將授以侍臣之位，而以子就代焉。恭至燉煌，固辭疾篤。太和中卒，贈執金吾。就後爲金城太守，父子著稱於西州。

評曰：李典貴尚儒雅，義忘私隙，美矣。李通、臧霸、文聘、吕虔鎮衛州郡，並著威惠。許褚、典韋折衝左右，抑亦漢之樊噲也。龐悳授命叱敵，有周苛之節。龐淯不憚伏劍，而誠感鄰國。閻温向城大呼，齊解、路之烈焉。

三國志卷十九

魏書十九

任城陳蕭王傳第十九

任城威王彰，字子文。少善射御，膂力過人，手格猛獸，不避險阻。數從征伐，志意慷慨。太祖嘗抑之曰：『汝不念讀書慕聖道，而好乘汗馬擊劍，此一夫之用，何足貴也！』課彰讀《詩》、《書》，彰謂左右曰：『丈夫一爲衛、霍，將十萬騎馳沙漠，驅戎狄，立功建號耳，何能作博士邪？』太祖嘗問諸子所好，使各言其志。彰曰：『好爲將。』太祖曰：『爲將奈何？』對曰：『被堅執鋭，臨難不顧，爲士卒先；賞必行，罰必信。』太祖大笑。建安二十一年，封鄢陵侯。

二十三年，代郡烏丸反，以彰爲北中郎將，行驍騎將軍。臨發，太祖戒彰曰：『居家爲父子，受事爲君臣，動以王法從事，爾其戒之！』彰北征，入涿郡界，叛胡數千騎卒至。時兵馬未集，唯有步卒千人，騎數百匹。用田豫計，固守要隙，虜乃退散。彰追之，身自搏戰，射胡騎，應弦而倒者前後相屬。戰過半日，彰鎧中數箭，意氣益厲，乘勝逐北，至于桑乾，去代二百餘里。長史諸將皆以爲新涉遠，士馬疲頓，又受節度，不得過代，不可深進，違令輕敵。彰曰：『率師而行，唯利所在，何節度乎？胡走未遠，追之必破。從令縱敵，非良將也。』遂上馬，令軍中：『後出者斬。』一日一夜與虜相及，擊，大破之，斬首獲生以千數。彰乃倍常科大賜將士，將士無不悦喜。時鮮卑大人軻比能將數萬騎觀望强弱，見彰力戰，所向皆破，乃請服。北方悉平。時太祖在長安，召彰詣行在所。彰自代過鄴，太子謂彰曰：『卿新有功，今西見上，宜勿自伐，應對常若不足者。』彰到，如太子言，歸功諸將。太祖喜，持彰鬚曰：『黄鬚兒竟大奇也！』

太祖東還，以彰行越騎將軍，留長安。太祖至洛陽，得疾，驛召彰，未至，太祖崩。文帝即王位，彰與諸侯就國。詔曰：『先王之道，庸勳親親，並建母弟，開國承家，故能藩屏大宗，禦侮厭難。彰前受命北伐，清定朔土，厥功茂焉。增邑五千，并前萬户。』黄初二年，進爵爲公。三年，立爲任城王。四年，朝京都，疾薨于邸，謚曰威。至葬，賜鑾輅、龍旂，虎賁百人，如漢東平王故事。子楷嗣，徙封中牟。五年，改封任城縣。太和六年，復改封任城國，食五縣二千五百户。青龍三年，楷坐私遣官屬詣中尚方作禁物，削縣二千户。正始七年，徙封濟南，三千户。正元、景元初，連增邑，凡四千四百户。

陳思王植字子建。年十歲餘，誦讀《詩》、《論》及辭賦數十萬言，善屬文。太祖嘗視其文，謂植曰：『汝倩人邪？』植跪曰：『言出爲論，下筆成章，顧當面試，奈何倩人？』時鄴銅爵臺新城，太祖悉將諸子登臺，使各爲賦。植援筆立成，可觀，太祖甚異之。性簡易，不治威儀。輿馬服飾，不尚華麗。每進見難問，應聲而對，特見寵愛。建安十六年，封平原侯。十九年，徙封臨菑侯。太祖征孫權，使植留守鄴，戒之曰：『吾昔爲頓邱令，年二十三。思此時所行，無悔於今。今汝年亦二十三矣，可不勉與！』植既以才見異，而丁儀、丁廙、楊脩等爲之羽翼。太祖狐疑，幾爲太子者數矣。而植任性而行，不自彫勵，飲酒不節。文帝御之以術，矯情自飾，宮人左右，並爲之説，故遂定爲嗣。二十二

年，增置邑五千，并前萬户。植嘗乘車行馳道中，開司馬門出。太祖大怒，公車令坐死。由是重諸侯科禁，而植寵日衰。太祖既慮終始之變，以楊脩頗有才策，而又袁氏之甥也，於是以罪誅脩。植益内不自安。二十四年，曹仁爲關羽所圍。太祖以植爲南中郎將，行征虜將軍。欲遣救仁，呼有所敕戒。植醉不能受命，於是悔而罷之。

文帝即王位，誅丁儀、丁廙并其男口。植與諸侯並就國。黄初二年，監國謁者灌均希指，奏「植醉酒悖慢，劫脅使者」。有司請治罪，帝以太后故，貶爵安鄉侯。其年改封鄄城侯。三年，立爲鄄城王，邑二千五百户。

四年，徙封雍丘王。其年，朝京都。上疏曰：

臣自抱釁歸藩，刻肌刻骨，追思罪戾，晝分而食，夜分而寢。誠以天罔不可重離，聖恩難可再恃。竊感《相鼠》之篇，無禮遄死之義，形影相吊，五情愧赧。以罪棄生，則違古賢『夕改』之勸；忍活苟全，則犯詩人『胡顔』之譏。伏惟陛下德象天地，恩隆父母，施暢春風，澤如時雨。是以不别荆棘者，慶雲之惠也；七子均養者，尸鳩之仁也；捨罪責功者，明君之舉也；矜愚愛能者，慈父之恩也：是以愚臣徘徊於恩澤而不能自棄者也。

前奉詔書，臣等絶朝，心離志絶，自分黄耇無復執珪之望。不圖聖詔猥垂齒召，至止之日，馳心輦轂。僻處西館，未奉闕廷，踴躍之懷，瞻望反仄。謹拜表獻詩二篇，其辭曰：『於穆顯考，時惟武皇，受命于天，寧濟四方。朱旗所拂，九土披攘，玄化滂流，荒服來王。超商越周，與唐比踪。篤生我皇，奕世載聰，武則肅烈，文則時雍，受禪炎漢，臨君萬邦。萬邦既化，率由舊則；廣命懿親，以藩王國。帝曰爾侯，君兹青土，奄有海濱，方周於魯，車服有輝，旗章有叙，濟濟雋乂，我弼我輔。伊予小子，恃寵驕盈，舉挂時網，動亂國經。作藩作屏，先軌是隳，傲我皇使，犯我朝儀。國有典刑，我削我絀，將寘于理，元凶是率。明明天子，時篤同類，不忍我刑，暴之朝肆，違彼執憲，哀予小子。改封兗邑，于河之濱，股肱弗置，有君無臣，荒淫之闕，誰弼予身？煢煢僕夫，于彼冀方，嗟予小子，乃罹斯殃。赫赫天子，恩不遺物，冠我玄冕，要我朱紱。朱紱光大，使我榮華，剖符授玉，王爵是加。仰齒金璽，俯執聖策，皇恩過隆，祗承怵惕。咨我小子，頑凶是嬰，逝慚陵墓，存愧闕廷。匪敢傲德，實恩是恃，威靈改加，足以没齒。昊天罔極，性命不圖，常懼顛沛，抱罪黄壚。願蒙矢石，建旗東嶽，庶立豪氂，微功自贖。危軀授命，知足免戾，甘赴江、湘，奮戈吴、越。天啓其衷，得會京畿，遲奉聖顔，如渴如饑。心之云慕，愴矣其悲，天高聽卑，皇肯照微！』又曰：『肅承明詔，應會皇都，星陳夙駕，秣馬脂車。命彼掌徒，肅我征旅，朝發鸞臺，夕宿蘭渚。芒芒原隰，祁祁士女，經彼公田，樂我稷黍。爰有樛木，重陰匪息；雖有餱糧，飢不遑食。望城不過，面邑匪游，僕夫警策，平路是由。玄駟藹藹，揚鑣漂沫；流風翼衡，輕雲承蓋。涉澗之濱，緣山之限，遵彼河滸，黄阪是階。西濟關谷，或降或升；騑驂倦路，再寢再興。將朝聖皇，匪敢晏寧；弭節長騖，指日遄征。前驅舉燧，後乘抗旌；輪不輟運，鸞無廢聲。爰暨帝室，税此西墉；嘉詔未賜，朝覲莫從。仰瞻城閾，俯惟闕廷；長懷永慕，憂心如酲。』

帝嘉其辭義，優詔答勉之。

六年，帝東征，還過雍丘，幸植宮，增户五百。太和元年，徙封浚儀。二年，復還雍丘。植常自憤怨，抱利器而無所施，上疏求自試曰：

臣聞士之生世，入則事父，出則事君；事父尚於榮親，事君貴於興國。故慈父不能愛無益之子，仁君不能畜無用之臣。夫論德而授官者，成功之君也；量能而受爵者，畢命之臣也。故君無虛授，臣無虛受；虛授謂之謬舉，虛受謂之尸禄，《詩》之『素餐』所由作也。昔二號不辭兩國之任，其德厚也；旦、奭不讓燕、魯之封，其功大也。今臣蒙國重恩，三世于今矣。正值陛下升平之際，沐浴聖澤，潛潤德教，可謂厚幸矣。而竊位東藩，爵在上列，身被輕暖，口厭百味，目極華靡，耳倦絲竹者，爵重禄厚之所致也。退念古之授爵禄者，有異於此，皆以功勤濟國，輔主惠民。今臣無德可述，無功可紀，若此終年無益國朝，將挂風人『彼其』之譏。是以上慚玄冕，俯愧朱紱。

方今天下一統，九州晏如，而顧西有違命之蜀，東有不臣之吴，使邊境未得脱甲，謀士未得高枕者，誠欲混同宇内以致太和也。故啓滅有扈而夏功昭，成克商、奄而周德著。今陛下以聖明統世，將欲卒文、武之功，繼成、康之隆，簡賢授能，以方叔、召虎之臣鎮御四境，爲國爪牙者，可謂當矣。然而高鳥未挂於輕繳，淵魚未縣於鈎餌者，恐鈎射之術或未盡也。昔耿弇不俟光武，亟擊張步，言不以賊遺於君父。故車右伏劍於鳴轂，雍門刎首於齊境，若此二士，豈惡生而尚死哉？誠忿其慢主而陵君也。夫君之寵臣，欲以除患興利；臣之事君，必以殺身靖亂，以功報主也。昔賈誼弱冠，求試屬國，請係單于之頸而制其命；終軍以妙年使越，欲得長纓纓其王，羈致北闕。此二臣，豈好爲夸主而耀世哉？志或鬱結，欲逞其才力，輸能於明君也。昔漢武爲霍去病治第，辭曰：『匈奴未滅，臣無以家爲！』夫憂國忘家，捐軀濟難，忠臣之志也。今臣居外，非不厚也，而寢不安席，食不遑味者，伏以二方未克爲念。

伏見先武皇帝武臣宿將，年耆即世者有聞矣。雖賢不乏世，宿將舊卒，猶習戰陳，竊不自量，志在效命，庶立毛髮之功，以報所受之恩。若使陛下出不世之詔，效臣錐刀之用，使得西屬大將軍，當一校之隊，若東屬大司馬，統偏舟之任，必乘危蹈險，騁舟奮驪，突刃觸鋒，爲士卒先。雖未能禽權馘亮，庶將虜其雄率，殲其醜類，必效須臾之捷，以滅終身之愧，使名挂史筆，事列朝策。雖身分蜀境，首縣吴闕，猶生之年也。如微才弗試，没世無聞，徒榮其軀而豐其體，生無益於事，死無損於數，虛荷上位而忝重禄，禽息鳥視，終於白首，此徒圈牢之養物，非臣之所志也。流聞東軍失備，師徒小衄，輟食棄餐，奮袂攘衽，撫劍東顧，而心已馳於吴會矣。

臣昔從先武皇帝南極赤岸，東臨滄海，西望玉門，北出玄塞，伏見所以行軍用兵之勢，可謂神妙矣。故兵者不可豫言，臨難而制變者也。志欲自效於明時，立功於聖世。每覽史籍，觀古忠臣義士，出一朝之命，以徇國家之難，身雖屠裂，而功銘著於鼎鍾，名稱垂於竹帛，未嘗不拊心而嘆息也。臣聞明主使臣，不廢有罪。故奔北敗軍之將用，秦、魯以成其功；絶纓盗馬之臣赦，楚、趙以濟其難。臣竊感先帝早崩，威王棄世，臣獨何人，以堪長久！常恐先朝露，填溝壑，墳土未乾，而身

名並滅。臣聞騏驥長鳴，則伯樂照其能；盧狗悲號，則韓國知其才。是以效之齊、楚之路，以逞千里之任；試之狡兔之捷，以驗搏噬之用。今臣志狗馬之微功，竊自惟度，終無伯樂、韓國之舉，是以於邑而竊自痛者也。

夫臨博而企竦，聞樂而竊抃者，或有賞音而識道也。昔毛遂，趙之陪隸，猶假錐囊之喻，以寤王立功，何況巍巍大魏多士之朝，而無慷慨死難之臣乎！夫自衒自媒者，士女之醜行也。干時求進者，道家之明忌也。而臣敢陳聞於陛下者，誠與國分形同氣，憂患共之者也。冀以塵霧之微補益山海，熒燭末光增輝日月，是以敢冒其醜而獻其忠。

三年，徙封東阿。五年，復上疏求存問親戚，因致其意曰：

臣聞天稱其高者，以無不覆；地稱其廣者，以無不載；日月稱其明者，以無不照；江海稱其大者，以無不容。故孔子曰：『大哉堯之爲君！惟天爲大，惟堯則之。』夫天德之於萬物，可謂弘廣矣。蓋堯之爲教，先親後疏，自近及遠。其《傳》曰：『克明峻德，以親九族；九族既睦，平章百姓。』及周之文王亦崇厥化，其《詩》曰：『刑于寡妻，至于兄弟，以御于家邦。』是以雍雍穆穆，風人咏之。昔周公吊管、蔡之不咸，廣封懿親以藩屏王室，《傳》曰：『周之宗盟，異姓爲後。』誠骨肉之恩爽而不離，親親之義實在敦固，未有義而後其君，仁而遺其親者也。

伏惟陛下資帝唐欽明之德，體文王翼翼之仁，惠洽椒房，恩昭九族，群后百寮，番休遞上，執政不廢於公朝，下情得展於私室，親理之路通，慶吊之情展，誠可謂恕己治人，推惠施恩者矣。至於臣者，人道絶緒，禁錮明時，臣竊自傷也。不敢過望交氣類，脩人事，叙人倫。近且婚媾不通，兄弟乖絶，吉凶之問塞，慶吊之禮廢，恩紀之違，甚於路人，隔閡之異，殊於胡越。今臣以一切之制，永無朝覲之望，至於注心皇極，結情紫闥，神明知之矣。然天實爲之，謂之何哉！退唯諸王常有戚戚具爾之心，願陛下沛然垂詔，使諸國慶問，四節得展，以叙骨肉之歡恩，全怡怡之篤義。妃妾之家，膏沐之遺，歲得再通，齊義於貴宗，等惠於百司，如此，則古人之所嘆，風雅之所咏，復存於聖世矣。

臣伏自惟省，無錐刀之用。及觀陛下之所拔授，若以臣爲異姓，竊自料度，不後於朝士矣。若得辭遠游，戴武弁，解朱組，佩青紱，駙馬、奉車，趣得一號，安宅京室，執鞭珥筆，出從華蓋，入侍輦轂，承答聖問，拾遺左右，乃臣丹誠之至願，不離於夢想者也。遠慕《鹿鳴》君臣之宴，中咏《常棣》匪他之誡，下思《伐木》友生之義，終懷《蓼莪》罔極之哀，每四節之會，塊然獨處，左右惟僕隸，所對惟妻子，高談無所與陳，發義無所與展，未嘗不聞樂而拊心，臨觴而嘆息也。臣伏以爲犬馬之誠不能動人，譬人之誠不能動天。崩城、隕霜，臣初信之，以臣心况，徒虚語耳。若葵藿之傾葉，太陽雖不爲之回光，然向之者誠也。竊自比於葵藿，若降天地之施，垂三光之明者，實在陛下。

臣聞《文子》曰：『不爲福始，不爲禍先。』今之否隔，友于同憂，而臣獨倡言者，竊不願於聖世使有不蒙施之物。有不蒙施之物，必有慘毒之懷，故《柏舟》有『天只』之怨，《谷風》有『棄予』之嘆。故伊尹耻其君不爲堯舜，孟子曰：『不以舜之所以事堯事其君者，不敬其君者也。』臣之愚蔽，固非虞、伊，至於欲使陛下崇光被時雍之美，宣緝熙章明之德者，是臣慺慺之誠，竊所獨守，實懷鶴立企

佇之心。敢復陳聞者，冀陛下儻發天聰而垂神聽也。

詔報曰：『蓋教化所由，各有隆弊，非皆善始而惡終也，事使之然。故夫忠厚仁極草木，則《行葦》之詩作；恩澤衰薄，不親九族，則《角弓》之章刺。今令諸國兄弟，情理簡怠，妃妾之家，膏沐疏略，朕縱不能敦而睦之，王援古喻義備悉矣，何言精誠不足以感通哉？夫明貴賤，崇親親，禮賢良，順少長，國之綱紀，本無禁固諸國通問之詔也，矯枉過正，下吏懼譴，以至於此耳。已敕有司，如王所訴。』

植復上疏陳審舉之義，曰：

臣聞天地協氣而萬物生，君臣合德而庶政成；五帝之世非皆智，三季之末非皆愚，用與不用，知與不知也。既時有舉賢之名，而無得賢之實，必各援其類而進矣。諺曰：『相門有相，將門有將。』夫相者，文德昭者也；將者，武功烈者也。文德昭，則可以匡國朝，致雍熙，稷、契、夔、龍是也；武功烈，則可以征不庭，威四夷，南仲、方叔是矣。昔伊尹之爲媵臣，至賤也，呂尚之處屠釣，至陋也，及其見舉於湯武、周文，誠道合志同，玄謨神通，豈復假近習之薦，因左右之介哉。《書》曰：『有不世之君，必能用不世之臣；用不世之臣，必能立不世之功。』殷周二王是矣。若夫齷齪近步，遵常守故，安足爲陛下言哉？故陰陽不和，三光不暢，官曠無人，庶政不整者，三司之責也。疆埸騷動，方隅內侵，沒軍喪衆，干戈不息者，邊將之憂也。豈可虛荷國寵而不稱其任哉？故任益隆者負益重，位益高者責益深，《書》稱『無曠庶官』，《詩》有『職思其憂』，此其義也。

陛下體天真之淑聖，登神機以繼統，冀聞《康哉》之歌，偃武行文之美。而數年以來，水旱不時，民困衣食，師徒之發，歲歲增調，加東有覆敗之軍，西有殪沒之將，至使蚌蛤浮翔於淮、泗，鼲鼬讙譁於林木。臣每念之，未嘗不輟食而揮餐，臨觴而搤腕矣。昔漢文發代，疑朝有變，宋昌曰：『內有朱虛、東牟之親，外有齊、楚、淮南、琅邪，此則磐石之宗，願王勿疑。』臣伏惟陛下遠覽姬文二虢之援，中慮周成召、畢之輔，下存宋昌磐石之固。昔騏驥之於吳阪，可謂困矣，及其伯樂相之，孫郵御之，形體不勞而坐取千里。蓋伯樂善御馬，明君善御臣；伯樂馳千里，明君致太平；誠任賢使能之明效也。若朝司惟良，萬機內理，武將行師，方難克弭。陛下可得雍容都城，何事勞動鑾駕，暴露於邊境哉？

臣聞『羊質虎皮，見草則悅，見豺則戰，忘其皮之虎也』。今置將不良，有似於此。故語曰：『患爲之者不知，知之者不得爲也。』昔樂毅奔趙，心不忘燕；廉頗在楚，思爲趙將。臣生乎亂，長乎軍，又數承教于武皇帝，伏見行師用兵之要，不必取孫、吳而闇與之合。竊揆之於心，常願得一奉朝覲，排金門，蹈玉陛，列有職之臣，賜須臾之間，使臣得一散所懷，攄舒蘊積，死不恨矣。

被鴻臚所下發士息書，期會甚急。又聞豹尾已建，戎軒鶩駕，陛下將復勞玉躬，擾挂神思。臣誠竦息，不遑寧處。願得策馬執鞭，首當塵露，撮風后之奇，接孫、吳之要，追慕卜商起予左右，效命先驅，畢命輪轂，雖無大益，冀有小補。然天高聽遠，情不上通，徒獨望青雲而拊心，仰高天而嘆息耳。屈平曰：『國有驥而不知乘，焉皇皇而更索！』昔管、蔡放誅，周、召作弼；叔魚陷刑，叔向匡國。三

監之釁，臣自當之；二南之輔，求必不遠。華宗貴族，藩王之中，必有應斯舉者。故《傳》曰：『無周公之親，不得行周公之事。』唯陛下少留意焉。

近者漢氏廣建藩王，豐則連城數十，約則饗食祖祭而已，未若姬周之樹國，五等之品制也。若扶蘇之諫始皇，淳于越之難周青臣，可謂知時變矣。夫能使天下傾耳注目者，當權者是矣，故謀能移主，威能懾下。豪右執政，不在親戚；權之所在，雖疏必重，勢之所去，雖親必輕，蓋取齊者田族，非呂宗也。分晋者趙、魏，非姬姓也。唯陛下察之。苟吉專其位，凶離其患者，異姓之臣也。欲國之安，祈家之貴，存共其榮，没同其禍者，公族之臣也。今反公族疏而異姓親，臣竊惑焉。

臣聞孟子曰：『君子窮則獨善其身，達則兼善天下。』今臣與陛下踐冰履炭，登山浮澗，寒温燥濕，高下共之，豈得離陛下哉？不勝憤懣，拜表陳情。若有不合，乞且藏之書府，不便滅棄，臣死之後，事或可思。若有豪釐少挂聖意者，乞出之朝堂，使夫博古之士，糾臣表之不合義者。如是，則臣願足矣。

帝輒優文答報。

其年冬，詔諸王朝六年正月。其二月，以陳四縣封植爲陳王，邑三千五百户。植每欲求别見獨談，論及時政，幸冀試用，終不能得。既還，悵然絶望。時法制，待藩國既自峻迫，寮屬皆賈豎下才，兵人給其殘老，大數不過二百人。又植以前過，事事復減半，十一年中而三徙都，常汲汲無歡，遂發疾薨，時年四十一。遺令薄葬。以小子志，保家之主也，欲立之。初，植登魚山，臨東阿，喟然有終焉

之心，遂營爲墓。子志嗣，徙封濟北王。景初中詔曰：『陳思王昔雖有過失，既克己慎行，以補前闕，且自少至終，篇籍不離於手，誠難能也。其收黄初中諸奏植罪狀，公卿已下議尚書、秘書、中書三府、大鴻臚者皆削除之。撰録植前後所著賦頌詩銘雜論凡百餘篇，副藏内外。』志累增邑，并前九百九十户。

蕭懷王熊，早薨。黄初二年追封謚蕭懷公。太和三年，又追封爵爲王。青龍二年，子哀王炳嗣，食邑二千五百户。六年薨，無子，國除。

評曰：任城武藝壯猛，有將領之氣。陳思文才富艷，足以自通後葉，然不能克讓遠防，終致携隙。《傳》曰『楚則失之矣，而齊亦未爲得也』，其此之謂歟！

三國志卷二十

魏書二十

武文世王公傳第二十

武皇帝二十五男：卞皇后生文皇帝、任城威王彰、陳思王植、蕭懷王熊，劉夫人生豐愍王昂、相殤王鑠，環夫人生鄧哀王沖、彭城王據、燕王宇，杜夫人生沛穆王林、中山恭王袞，秦夫人生濟陽懷王玹、陳留恭王峻，尹夫人生范陽閔王矩，王昭儀生趙王幹，孫姬生臨邑殤公子上、楚王彪、剛殤公子勤，李姬生穀城殤公子乘、郿戴公子整、靈殤公子京，周姬生樊安公均，劉姬生廣宗殤公子棘，宋姬生東平靈王徽，趙姬生樂陵王茂。

豐愍王昂字子脩。弱冠舉孝廉。隨太祖南征，爲張繡所害。無子。黄初二年追封，謚曰豐悼公。三年，以樊安公均子琬奉昂後，封中都公。其年徙封長子公。五年，追加昂號曰豐悼王。太和三年改昂謚曰愍王。嘉平六年，以琬襲昂爵爲豐王。正元、景元中，累增邑，并前二千七百户。琬薨，謚曰恭王。子廉嗣。

相殤王鑠，早薨，太和三年追封謚。青龍元年，子愍王潛嗣，其年薨。二年，子懷王偃嗣，邑二千五百户，四年薨。無子，國除。正元二年，以樂陵王茂子陽都鄉公竦繼鑠後。

鄧哀王沖字倉舒。少聰察岐嶷，生五六歲，智意所及，有若成人之智。時孫權曾致巨象，太祖欲知其斤重，訪之群下，咸莫能出其理。沖曰：『置象大船之上，而刻其水痕所至，稱物以載之，則校

可知矣。』太祖大悦，即施行焉。時軍國多事，用刑嚴重。太祖馬鞍在庫，而爲鼠所齧，庫吏懼必死，議欲面縛首罪，猶懼不免。沖謂曰：『待三日中，然後自歸。』沖於是以刀穿單衣，如鼠齧者，謬爲失意，貌有愁色。太祖問之，沖對曰：『世俗以爲鼠齧衣者，其主不吉。今單衣見齧，是以憂戚。』太祖曰：『此妄言耳，無所苦也。』俄而庫吏以齧鞍聞，太祖笑曰：『兒衣在側，尚齧，況鞍縣柱乎？』一無所問。沖仁愛識達，皆此類也。凡應罪戮，而爲沖微所辨理，賴以濟宥者，前後數十。太祖數對群臣稱述，有欲傳後意。年十三，建安十三年疾病，太祖親爲請命。及亡，哀甚。文帝寬喻太祖，太祖曰：『此我之不幸，而汝曹之幸也。』言則流涕，爲聘甄氏亡女與合葬，贈騎都尉印綬，命宛侯據子琮奉沖後。二十二年，封琮爲鄧侯。黄初二年，追贈謚沖曰鄧哀侯，又追加號爲公。三年，進琮爵，徙封冠軍公。四年，徙封己氏公。太和五年，加沖號曰鄧哀王。景初元年，琮坐於中尚方作禁物，削户三百，貶爵爲都鄉侯。三年，復爲己氏公。正始七年，轉封平陽公。景初、正元、景元中，累增邑，并前千九百户。

彭城王據，建安十六年封范陽侯。二十二年，徙封宛侯。黄初二年，進爵爲公。三年，爲章陵王，其年徙封義陽。文帝以南方下濕，又以環太妃彭城人，徙封彭城。又徙封濟陰。五年，詔曰：『先王建國，隨時而制。漢祖增秦所置郡，至光武以天下損耗，并省郡縣。以今比之，益不及焉。其改封諸王，皆爲縣王。』據改封定陶縣。太和六年，改封諸王，皆以郡爲國，據復封彭城。景初元年，據坐私遣人詣中尚方作禁物，削縣二千户。三年，復所削户邑。正元、景元中累增邑，并前四千六百户。

燕王宇字彭祖。建安十六年，封都鄉侯。二十二年，改封魯陽侯。黃初二年，進爵爲公。三年，爲下邳王。五年，改封單父縣。太和六年，改封燕王。明帝少與宇同止，常愛異之。及即位，寵賜與諸王殊。青龍三年，徵入朝。景初元年，還鄴。二年夏，復徵詣京都。冬十二月，明帝疾篤，拜宇爲大將軍，屬以後事。受署四日，宇深固讓；帝意亦變，遂免宇官。三年夏，還鄴。景初、正元、景元中，累增邑，并前五千五百户。常道鄉公奐，宇之子，入繼大宗。

沛穆王林，建安十六年封饒陽侯。二十二年，徙封譙。黃初二年，進爵爲公。三年，爲譙王。五年，改封譙縣。七年，徙封鄄城。太和六年，改封沛。景初、正元、景元中，累增邑，并前四千七百户。林薨，子緯嗣。

中山恭王袞，建安二十一年封平鄉侯。少好學，年十餘歲能屬文。每讀書，文學左右常恐以精力爲病，數諫止之，然性所樂，不能廢也。二十二年，徙封東鄉侯，其年又改封贊侯。黃初二年，進爵爲公，官屬皆賀，袞曰：『夫生深宮之中，不知稼穡之艱難，多驕逸之失。諸賢既慶其休，宜輔其闕。』每兄弟游娛，袞獨覃思經典。文學防輔相與言曰：『受詔察公舉錯，有過當奏，及有善，亦宜以聞，不可匿其美也。』遂共表稱陳袞美。袞聞之，大驚懼，責讓文學曰：『脩身自守，常人之行耳，而諸君乃以上聞，是適所以增其負累也。且如有善，何患不聞，而遽共如是，是非益我者。』其戒慎如此。三年，爲北海王。其年，黃龍見鄴西漳水，袞上書贊頌。詔賜黃金十斤，詔曰：『昔唐叔歸禾，東平獻頌，斯皆骨肉贊美，以彰懿親。王研精墳典，耽味道真，文雅煥炳，朕甚嘉之。王其克慎明德，以終令聞。』四年，改封贊王。七年，徙封濮陽。太和二年就國，尚約儉，教敕妃妾紡績織紝，習爲家人之事。五年冬，入朝。六年，改封中山。

初，袞來朝，犯京都禁。青龍元年，有司奏袞。詔曰：『王素敬慎，邂逅至此，其以議親之典議之。』有司固執。詔削縣二，户七百五十。袞憂懼，戒敕官屬愈謹。帝嘉其意，二年，復所削縣。三年秋，袞得疾病，詔遣太醫視疾，殿中、虎賁齎手詔、賜珍膳相屬，又遣太妃、沛王林並就省疾。袞疾困，敕令官屬曰：『吾寡德忝寵，大命將盡。吾既好儉，而聖朝著終誥之制，爲天下法。吾氣絶之日，自殯及葬，務奉詔書。昔衛大夫蘧瑗葬濮陽，吾望其墓，常想其遺風，願托賢靈以弊髮齒，營吾兆域，必往從之。《禮》：男子不卒婦人之手。亟以時成東堂。』堂成，名之曰遂志之堂，輿疾往居之。又令世子曰：『汝幼少，未聞義方，早爲人君，但知樂，不知苦；不知苦，必將以驕奢爲失也。接大臣，務以禮。雖非大臣，老者猶宜荅拜。事兄以敬，恤弟以慈；兄弟有不良之行，當造膝諫之。諫之不從，流涕喻之；喻之不改，乃白其母。若猶不改，當以奏聞，并辭國土。與其守寵罹禍，不若貧賤全身也。此亦謂大罪惡耳，其微過細故，當掩覆之。嗟爾小子，慎脩乃身，奉聖朝以忠貞，事太妃以孝敬。閨闈之內，奉令於太妃；閫閾之外，受教於沛王。無怠乃心，以慰予靈。』其年薨。詔沛王林留訖葬，使大鴻臚持節典護喪事，宗正吊祭，贈賵甚厚。凡所著文章二萬餘言，才不及陳思王而好與之侔。子孚嗣。景初、正元、景元中，累增邑，并前三千四百户。

濟陽懷王玹，建安十六年封西鄉侯。早薨，無子。二十年，以沛王林子贊襲玹爵邑，早薨，無子。

文帝復以贊奉玹後。黄初二年，改封濟陽侯。四年，進爵為公。太和四年，追進玹爵，謚曰懷公。六年，又進號曰懷王，追謚贊曰西鄉哀侯。壹薨，謚曰悼公。子恒嗣。景初、正元、景元中，累增邑，并前千九百户。

陳留恭王峻字子安。建安二十一年，封郿侯。二十二年，徙封襄邑。黄初二年，進爵為公。三年，為陳留王。五年，改封襄邑縣。太和六年，又封陳留。甘露四年薨。子澳嗣。景初、正元、景元中，累增邑，并前四千七百户。

范陽閔公矩。早薨，無子。建安二十二年，以樊安公均子敏奉矩後，封臨晉侯。黄初三年，追封謚矩為范陽閔公。五年，改封敏范陽王。七年，徙封句陽。太和六年，追進矩號曰范陽閔王，改封敏琅邪王。景初、正元、景元中，累增邑，并前三千四百户。敏薨，謚曰原王。子焜嗣。

趙王幹。建安二十年，封高平亭侯。二十二年，徙封賴亭侯。其年改封弘農侯。黄初二年，進爵，徙封燕公。三年，為河間王。五年，改封樂城縣。七年，徙封鉅鹿。太和六年，改封趙王。幹母有寵於太祖。及文帝為嗣，幹母有力。文帝臨崩，有遺詔，是以明帝常加恩意。青龍二年，私通賓客，為有司所奏，賜幹璽書誡誨之，曰：「《易》稱『開國承家，小人勿用』，《詩》著『大車惟塵』之誡。自太祖受命創業，深睹治亂之源，鑒存亡之機，初封諸侯，訓以恭慎之至言，輔以天下之端士，常稱馬援之遺誡，重諸侯賓客交通之禁，乃使與犯妖惡同。夫豈以此薄骨肉哉？徒欲使子弟無過失之愆，士民無傷害之悔耳。高祖踐阼，祗慎萬機，申著諸侯不朝之令。朕感詩人《常棣》之作，嘉《采菽》之

義，亦緣詔文曰『若有詔得詣京都』，故命諸王以朝聘之禮。而楚、中山並犯交通之禁，趙宗、戴捷咸伏其辜。近東平王復使屬官毆壽張吏，有司舉奏，朕裁削縣。今有司以曹纂、王喬等因九族時節，集會王家，或非其時，皆違禁防。朕惟王幼少有恭順之素，加受先帝顧命，欲崇恩禮，延乎後嗣，況近在王之身乎？且自非聖人，孰能無過？已詔有司宥王之失。古人有言：『戒慎乎其所不睹，恐懼乎其所不聞，莫見乎隱，莫顯乎微，故君子慎其獨焉。』叔父茲率先聖之典，以纂乃先帝之遺命，戰戰兢兢，靖恭厥位，稱朕意焉。」景初、正元、景元中，累增邑，并前五千户。

臨邑殤公子上，早薨。太和五年，追封謚。無後。

楚王彪字朱虎。建安二十一年，封壽春侯。黄初二年，進爵，徙封汝陽公。三年，封弋陽王。其年，徙封吳王。五年，改封壽春縣。七年，徙封白馬。太和五年冬，朝京都。六年，改封楚。初，彪來朝，犯禁，青龍元年，為有司所奏，詔削縣三，户千五百。二年，大赦，復所削縣。景初三年，增户五百，并前三千户。嘉平元年，兗州刺史令狐愚與太尉王凌謀迎彪都許昌。語在《凌傳》。乃遣傳及侍御史就國案驗，收治諸相連及者。廷尉請徵彪治罪。於是依漢燕王旦故事，使兼廷尉大鴻臚持節賜彪璽書切責之，使自圖焉。彪乃自殺。妃及諸子皆免為庶人，徙平原。彪之官屬以下及監國謁者，坐知情無輔導之義，皆伏誅。國除為淮南郡。正元元年詔曰：「故楚王彪，背國附奸，身死嗣替，雖自取之，猶哀矜愚。夫含弘藏疾，親親之道也。其封彪世子嘉為常山真定王。」景元元年，增邑，并前二千五百户。

剛殤公子勤，早薨。太和五年追封謚。無後。

穀城殤公子乘，早薨。太和五年追封謚。無後。

郿戴公子整，奉從叔父郎中紹後。建安二十二年，封郿侯。二十三年薨。無子。黄初二年追進爵，謚曰戴公。以彭城王據子範奉整後。三年，封平氏侯。四年，徙封成武。太和三年，進爵爲公。青龍三年薨。謚曰悼公。無後。四年，詔以範弟東安鄉公闡爲郿公，奉整後。正元、景元中，累增邑，并前千八百户。

靈殤公子京，早薨。太和五年追封謚。無後。

樊安公均，奉叔父薊恭公彬後。建安二十二年，封樊侯。二十四年薨。子抗嗣。黄初二年，追進公爵，謚曰安公。三年，徙封抗薊公。四年，徙封屯留公。景初元年薨，謚曰定公。子諶嗣。景初、正元、景元中，累增邑，并前千九百户。

廣宗殤公子棘，早薨。太和五年追封謚。無後。

東平靈王徽，奉叔公朗陵哀侯玉後。建安二十二年，封歷城侯。黄初二年，進爵爲公。三年，爲廬江王。四年，徙封壽張王。五年，改封壽張縣。太和六年，改封東平。青龍二年，徽使官屬撾壽張縣吏，爲有司所奏。詔削縣一，户五百。其年復所削縣。正始三年薨。子翕嗣。景初、正元、景元中，累增邑，并前三千四百户。

樂陵王茂，建安二十二年封萬歲亭侯。二十三年，改封平輿侯。黄初三年，進爵，徙封乘氏公。七年，徙封中丘。茂性傲佷，少無寵於太祖。及文帝世，又獨不王。太和元年，徙封聊城公，其年爲王。詔曰：『昔象之爲虐至甚，而大舜猶侯之有庳。近漢氏淮南、阜陵，皆爲亂臣逆子，而猶或及身而復國，或至子而錫土。有虞建之於上古，漢文、明、章行之乎前代，斯皆敦叙親親之厚義也。聊城公茂少不閑禮教，長不務善道。先帝以爲古之立諸侯也，皆命賢者，故姬姓有未必侯者，是以獨不王茂。太皇太后數以爲言。如聞茂頃來少知悔昔之非，欲脩善將來。君子與其進，不保其往也。今封茂爲聊城王，以慰太皇太后下流之念。』六年，改封曲陽王。正始三年，東平靈王薨，茂稱嗌痛，不肯發哀，居處出入自若。有司奏除國土，詔削縣一，户五百。五年，徙封樂陵，詔以茂租奉少，諸子多，復所削户，又增户七百。嘉平、正元、景元中，累增邑，并前五千户。

文皇帝九男：甄氏皇后生明帝，李貴人生贊哀王協，潘淑媛生北海悼王蕤，朱淑媛生東武陽懷王鑒，仇昭儀生東海定王霖，徐姬生元城哀王禮，蘇姬生邯鄲懷王邕，張姬生清河悼王貢，宋姬生廣平哀王儼。

贊哀王協，早薨。太和五年追封謚曰經殤公。青龍二年，更追改號謚。三年，子殤王尋嗣。景初三年，增户五百，并前三千户。正始九年薨。無子。國除。

北海悼王蕤，黄初七年，明帝即位，立爲陽平縣王。太和六年，改封北海。青龍元年薨。二年，以琅邪王子贊奉蕤後，封昌鄉公。景初二年，立爲饒安王。正始七年，徙封文安。正元、景元中，累增邑，并前三千五百户。

東武陽懷王鑒，黄初六年立。其年薨。青龍三年賜謚。無子。國除。

東海定王霖，黄初三年立爲河東王。六年，改封館陶縣。明帝即位，以先帝遺意，愛寵霖異於諸國。而霖性粗暴，閨門之内，婢妾之間，多所殘害。太和六年，改封東海。嘉平元年薨。子啓嗣。景初、正元、景元中，累增邑，并前六千二百户。高貴鄉公髦，霖之子也，入繼大宗。

元城哀王禮，黄初二年封秦公，以京兆郡爲國。三年，改爲京兆王。六年，改封元城王。太和三年薨。五年，以任城王楷子悌嗣禮後。六年，改封梁王。景初、正元、景元中，累增邑，并前四千五百户。

邯鄲懷王邕，黄初二年封淮南公，以九江郡爲國。三年，進爲淮南王。四年，改封陳。六年，改封邯鄲。太和三年薨。五年，以任城王楷子温嗣邕後。六年，改封魯陽。景初、正元、景元中，累增邑，并前四千四百户。

清河悼王貢，黄初三年封。四年薨。無子。國除。

廣平哀王儼，黄初三年封。四年薨。無子。國除。

評曰：魏氏王公，既徒有國土之名，而無社稷之實，又禁防壅隔，同於囹圄；位號靡定，大小歲易；骨肉之恩乖，《常棣》之義廢。爲法之弊，一至于此乎！